THE TIMES

Killer
Su Doku

THE ✹ TIMES

Killer
Su Doku

The deadly new dimension

First published in 2005 by Times Books as The Times Killer Su Doku Book 1
This edition published 2012

HarperCollins Publishers
77-85 Fulham Palace Road
London
W6 8JB

www.collins.co.uk

All puzzles © Sekai Bunka except those listed below:
Puzzles 45, 46, 47, 62, 69, 70, 90 © Yousuke Imai
Puzzle 43 © Tsuyoshi Hamada
Puzzle 91 © Minako Sakai

1

The Times is a registered trademark of Times Newspapers Ltd

ISBN 978-0-00-792840-8

A catalogue record for this book is available from the British Library.

Printed and bound in Great Britain by Clays Ltd, St Ives plc.

MIX
Paper from
responsible sources
FSC® C007454
www.fsc.org

FSC is a non-profit international organisation established to promote the
responsible management of the world's forests. Products carrying the FSC
label are independently certified to assure consumers that they come
from forests that are managed to meet the social, economic and
ecological needs of present and future generations.

Find out more about HarperCollins and the environment at
www.harpercollins.co.uk/green

Contents

Puzzles

Solutions

Foreword

When *The Times* introduced Su Doku to Britain and to the planet in November 2004 we knew that it was a deceptively complex puzzle which our readers would love. Happily this was a serious misjudgement. Su Doku's ability to turn casual puzzlers into addicts has ensured that it has become an international phenomenon. Many millions of people in dozens of countries daily fill the grid so that every column, every row and every 3x3 box contains the digits one to nine. In the UK, *The Times Su Doku* books have set the standard by which our imitators have been judged but recently some enthusiasts have been wondering what happens when they work out how to complete a fiendish Su Doku in a few minutes (yes, I hate them too). Where do we go from here?

The answer is *Killer* Su Doku. It's based on the Su Doku grid, with the same rules and numbers one to nine – but with an added deadly twist. This time there is an element of arithmetic involved and there are few, if any, number clues. Each puzzle also has a time worked out by its Japanese setters so you can try to beat the clock. For the simple rules and some helpful tips see overleaf. We think *Killer* Su Doku is a worthy successor to the puzzle that has infuriated and entertained you over the past year.

Killer Su Doku is a deadly new dimension – good luck.

Michael Harvey, Features Editor, *The Times*

Guidelines for Solving Killer Su Doku

Killer Su Doku follows the same principles as Su Doku. There is a 9x9 square, divided by bold lines into 9 smaller units of 3x3. One number, between 1 and 9, is placed in each square, and no number can be repeated horizontally or vertically, neither within each 3x3 unit nor in the larger 9x9 unit.

Added to the basic Su Doku puzzle are two or more squares joined together with dotted lines, with a number printed within the joined squares. The joined squares must be filled with numbers that total the printed number.

Hints to solve *Killer* are hidden in the joined squares where only one combination of numbers applies. In the case of two joined squares, if the printed number is 3, it should be 1 and 2 that go into the squares; if the number is 17, the combination should be 8 and 9. Likewise, in the case of three joined squares, if the printed number is 6, the only combination possible is 1, 2 and 3; if the number is 24 – 7, 8 and 9.

It is best to start with solving the joined squares with small printed numbers and then gradually move onto those with larger printed numbers. You will notice in some of the puzzles that some numbers have already been provided in the larger 9x9 units. However, be warned, these are not any easier to solve.

Two Examples of How to Solve Killer Su Doku

In the case of the two joined squares, if the printed number is 3, it should be 1 and 2 that go into the squares, as below:

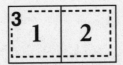

Likewise, in the case of three joined squares, if the printed number is 6, the only combination possible is 1, 2, and 3, as below:

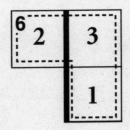

Two Examples of How to Solve Killer Su Doku

In the case of the Two joined squares, if the printed number is 3, it should be 1 and 2 that go into the squares as below:

Likewise, in the case of the T-shaped squares, if the printed number is 6, only 3, 2, 1 can go in the squares as below:

Puzzles

Gentle

14
14
20
12
19
10
14
6
12
3
24
8
12
23
9
17
16
3
3
12
10
23
4
16
7
16
20
14
7
16
21

7 MINUTES

TIME TAKEN..........................

Gentle

2

🕐 7 MINUTES

TIME TAKEN...........................

Killer Su Doku

🕐 8 MINUTES

TIME TAKEN...........................

Gentle

4

7 · 2	5	12 · 3	9	9 · 4	15 · 7	23 · 8	6	8 · 1
35 · 6	7 · 1	4	2	5	8	9	5 · 3	7
9	11 · 8	16 · 7	5 · 1	10 · 3	11 · 6	5	2	15 · 4
5	3	9	4	7	3 · 2	1	12 · 8	6
7	10 · 6	10 · 2	8	1 · 1	12 · 9	3	4	5
8	4	4 · 1	3	8 · 6	6 · 5	16 · 7	9	19 · 2
8 · 3	16 · 9	18 · 6	7	2	1	9 · 4	5	8
4	7	5	11 · 6	17 · 8	6 · 3	2	1	9
1	10 · 2	8	5	9	10 · 4	6	10 · 7	3

🕐 8 MINUTES

TIME TAKEN...........................

Killer Su Doku

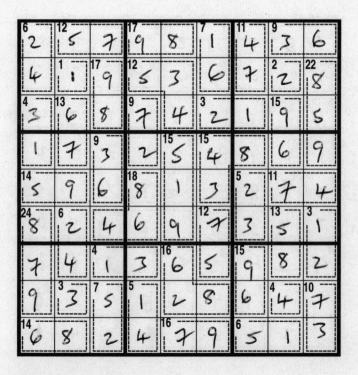

🕐 8 MINUTES

TIME TAKEN............................

Gentle

6

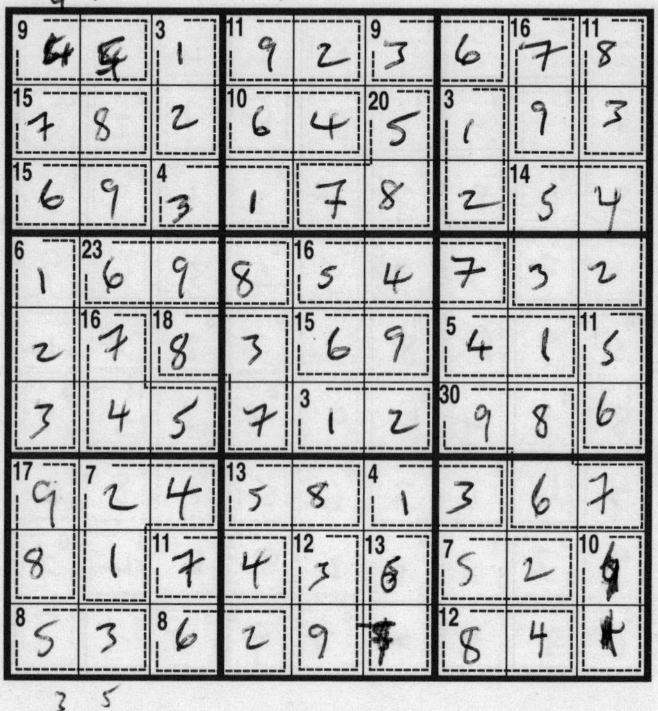

9 MINUTES

TIME TAKEN..............................

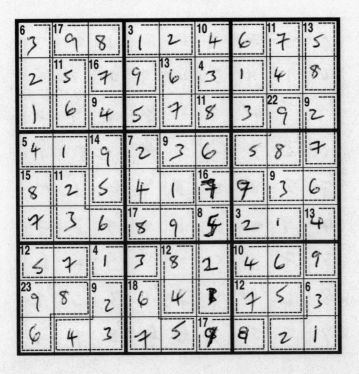

TIME TAKEN...........................

Gentle

8

11 8	15 8	7	12 1	9	2	10 4	6	11 3
6	1 1	14 9	5	17 4	10 3	7	2 2	8
3 2	7 3	4	11 7	8	13 6	10 1	9	14 5
1	9 6	3	4	5	7	10 2	8	9
12 7	5	10 8	2	3 3	15 9	6	5 1	4
7 4	16 9	3 2	14 6	10 1	13 8	14 5	7 3	13 7
3	7	1	8	2	5	9	4	6
17 8	4 4	15 6	9	7	4 1	3	5 5	3 2
9	7 2	5	13 3	6	4	15 8	7	1

⏱ 9 MINUTES

TIME TAKEN............................

Killer Su Doku

16 7	9	**19** 8	**10** 2	**12** 5	**5** 1	**9** 6	3	**9** 4
6 3	1	6	8	7	4	**24** 9	**2** 2	5
7 4	2	5	**15** 6	9	**15** 3	8	7	**4** 1
1	**22** 6	4	9	4	8	**7** 2	5	**3** 3
2	**8** 8	**8** 3	5	**1** 1	**10** 6	4	**9** 9	**24** 7
17 9	**9** 6	4	**14** 7	3	**9** 2	1	6	8
8	**18** 7	2	4	**11** 6	5	**15** 3	**7** 1	9
11 6	**3** 3	9	**4** 1	**10** 8	**16** 7	5	4	2
5	**5** 4	1	3	2	9	7	**14** 8	6

🕐 9 MINUTES

TIME TAKEN.............................

Gentle

10

16 2	4	3	13 7	6	17 8	9	4 1	9 5
6	13 8	16 7	10 5	9 9	3 1	2	3	4
1	5	9	3	2	10 4	6	17 8	9 7
8 5	16 7	10 4	4 1	3	14 6	8	9	2
3	9	6	15 8	5	2	9 4	13 7	4 1
12 8	4 1	6 2	4	16 7	9	5	6	3
4	3	11 5	6	20 8	7	4 1	6 2	35 9
16 7	8 2	17 8	9	1 1	5	3	4	6
9	6	3 1	2	7 4	3	7	5	8

🕐 9 MINUTES

TIME TAKEN............................

Killer Su Doku

4 3	1	**7** 2	5	**17** 9	8	**11** 7	4	**23** 6
12 5	7	**10** 6	**6** 4	2	**9** 3	**3** 1	9	8
24 9	8	4	**3** 1	**15** 7	6	2	**8** 3	5
7	**14** 9	5	2	8	**4** 1	3	**14** 6	**11** 4
7 4	2	1	**9** 6	3	**14** 5	9	8	7
9 6	3	**17** 8	9	**17** 4	**16** 7	**8** 5	2	1
3 1	**7** 4	3	8	5	9	**21** 6	7	**14** 2
2	**26** 5	**16** 9	7	**10** 6	4	8	**6** 1	3
8	6	7	**10** 3	1	2	4	5	9

⏲ 10 MINUTES

TIME TAKEN...........................

Gentle

12

11 5	6	3 2	1	17 9	8	7 3	4	16 7
11 7	17 8	4 3	15 6	4	3 2	1	21 4	9
4	9	1	5	4 3	16 7	2	9	6
11 8	9 7	9 5	4	1	9	10 6	3 2	8 3
3	2	17 9	8	13 7	6	4	1	5
8 6	10 1	4	3	2	12 5	7	17 9	8
2	8 5	16 7	9	10 6	4	13 8	4 3	1
10 9	3	8 6	2	9 8	1	5	13 7	6 4
1	12 4	8	12 7	5	12 3	9	6	2

🕐 10 MINUTES

TIME TAKEN...........................

Killer Su Doku

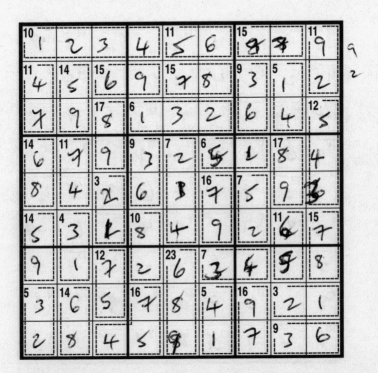

🕐 10 MINUTES

TIME TAKEN.............................

Gentle

14

🕐 10 MINUTES

TIME TAKEN...........................

Killer Su Doku

⏲ 10 MINUTES

TIME TAKEN............................

Gentle

16

10 **3**	3 **1**	**2**	9 **7**	14 **8**	**6**	7 **4**	14 **9**	**5**
7	22 **9**	10 **6**	**2**	4 **4**	9 **5**	**3**	8 **1**	10 **8**
5	**8**	**4**	14 **9**	**1**	**3**	8 **6**	**7**	**2**
19 **6**	**4**	15 **7**	**5**	17 **9**	**8**	**2**	4 **3**	**1**
9	5 **5**	**8**	6 **1**	**3**	**2**	12 **7**	6 **6**	21 **4**
3 **1**	**2**	4 **3**	10 **4**	**6**	16 **7**	**5**	**8**	**9**
6 **4**	10 **7**	**1**	16 **6**	**2**	**9**	17 **8**	12 **5**	**3**
2	**3**	14 **5**	**8**	7 **7**	5 **1**	**9**	**4**	13 **6**
14 **8**	**6**	**9**	8 **3**	**5**	**4**	3 **1**	**2**	**7**

🕐 10 MINUTES

TIME TAKEN...........................

Killer Su Doku

15 6	4	3 2	1	8 3	5	24 9	7	8
5	1 1	16 9	7	11 2	12 8	8 4	3	11 6
4 3	21 8	7	6	9	4	8 2	1	5
1	12 5	7 3	11 9	15 9	8	6	9 4	2
19 9	7	4	2	5 5	9 6	8 1	13 8	3
8	2	14 6	5 4	1	3	7	5	16 9
11 4	20 9	8	11 3	10 6	8 1	5	2	7
7	6	5	8	4	5 2	3	9 9	11 1
6 2	3	1	12 5	7	17 9	8	6	4

🕐 10 MINUTES

TIME TAKEN...........................

Gentle

Moderate

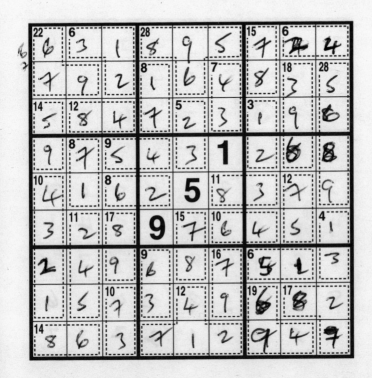

⏱ 10 MINUTES

TIME TAKEN............................

Moderate

12 2	1	15 8	7	15 9	6	11 3	9 5	4
5	23 9	6	8	7 3	4	1	7	11 2
4	17 7	**3**	4 1	6 2	11 5	6	11 9	8
10 7	6	7 5	3	4	17 8	9	2	1
3	4	2	15 9	5	1	13 8	13 6	10 7
18 9	10 8	3 1	2	14 6	16 7	5	4	3
1	2	10 4	6	8	9	7	3	28 5
8	19 3	9	12 5	7	7 2	4	1	6
11 6	5	7	5 4	1	5 3	2	8	9

🕐 11 MINUTES

TIME TAKEN............................

Killer Su Doku

16		10			15	11		
7	9	3	6	1	8	2	4	5
15	6	**7** 1	**14** 7	8	4	3	**17** 8	9
4	**18** 8	2	**15** 9	5	**4** 3	1	**13** 7	6
14 6	3	4	5	**17** 8	**16** 7	9	**11** 2	1
8	7	**14** 5	1	9	**8** 2	6	3	**11** 4
3 2	1	9	**5** 3	**7** 4	**15** 6	**13** 8	5	7
4 1	**11** 4	7	2	3	9	5	**14** 6	8
3	**11** 5	6	**15** 8	7	**14** 1	4	9	**6** 2
11 9	2	**12** 8	4	**18** 6	5	7	1	3

⏱ 11 MINUTES

TIME TAKEN..............................

Moderate

21

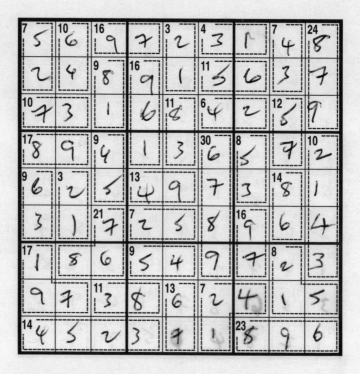

🕐 12 MINUTES

TIME TAKEN..............................

Killer Su Doku

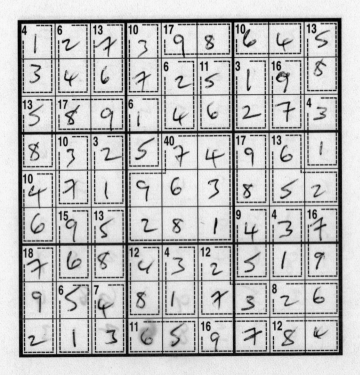

⏱ 12 MINUTES

TIME TAKEN............................

Moderate

23

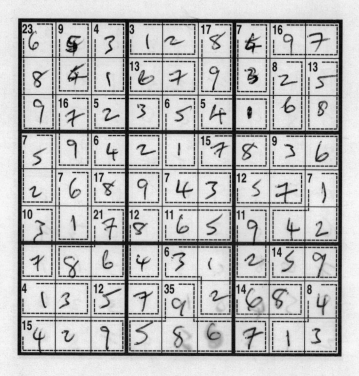

⏱ 12 MINUTES

TIME TAKEN...........................

Killer Su Doku

⏱ 12 MINUTES

TIME TAKEN...........................

Moderate

25

9	16			1	12		12	12
6	2	5	9	1	8	4	3	7
3	15 8	7	10 4	6	3 2	1	9	5
13 4	9	4 1	3	9 5	12 7	10 8	2	9 6
3 2	1	14 6	8	4	5	16 9	7	3
24 8	7	9	6 2	3	1	15 5	6	4
6 5	7 3	4	13 7	17 9	8 6	2	9 8	1
1	8 5	3	6	8	16 9	7	6 4	2
16 9	10 6	3 2	1	11 7	4	8 3	5	17 8
7	4	13 8	5	2 2	10 3	6	1	9

🕐 12 MINUTES

TIME TAKEN...........................

Killer Su Doku

¹³6	2	²⁴8	7	9	⁷3	4	³¹5	1
1	4	¹⁴9	5	³2	¹⁴6	8	7	3
¹²5	¹⁰7	3	¹⁷8	1	⁶4	2	9	6
7	¹²8	4	9	⁴3	1	⁹6	2	⁹5
¹¹9	⁹3	⁸6	2	⁸8	¹²5	7	1	4
2	5	1	¹⁰4	6	¹⁶7	¹²9	3	¹⁵8
³¹8	6	⁵2	3	⁹5	9	⁵1	4	7
3	1	¹³7	6	4	⁷2	5	²⁵8	9
4	9	⁶5	1	¹⁸7	8	3	6	2

🕐 12 MINUTES

TIME TAKEN............................

Moderate

[35] 5	8	[12] 3	7	2	[5] 4	1	[24] 6	9
6	7	[7] 1	[17] 3	[14] 9	5	[22] 8	2	4
[11] 4	9	2	6	8	[4] 1	5	[15] 7	3
7	[3] 2	4	[1] 1	[18] 5	3	9	8	[11] 6
[12] 3	1	[15] 6	9	7	[10] 8	2	[7] 4	5
9	[8] 5	[20] 8	[6] 4	6	[2] 2	[14] 7	3	[8] 1
[21] 8	3	5	2	[16] 1	6	4	[25] 9	7
1	6	7	[12] 8	4	9	3	5	2
2	4	[14] 9	5	[16] 3	7	6	1	8

🕐 13 MINUTES

TIME TAKEN............................

Killer Su Doku

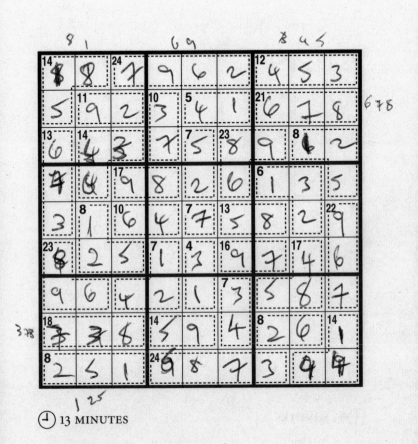

TIME TAKEN............................

Moderate

9	3	4		12	17	6	30	
5	2	3	1	7	8	4	6	9
4	1	14 8	6	5	9	2	8 3	7
7 6	14 9	12 7	3	16 4	3 2	1	5	8
1	5	2	11 9	6	24 4	7	8	8 3
24 9	8	21 6	2	3	12 7	5	4	1
7	3	4	8	1	5	23 9	3 2	11 6
20 3	10 4	16 9	7	2	6	8	1	5
2	6	6 5	9	17 8	4 1	3	16 7	6 4
8	7	1		9	9 3	6	9	2

🕐 13 MINUTES

TIME TAKEN..........................

Killer Su Doku

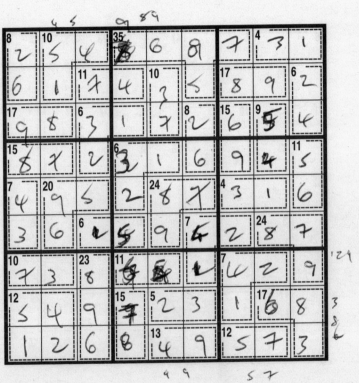

🕐 14 MINUTES

TIME TAKEN.............................

Moderate

31

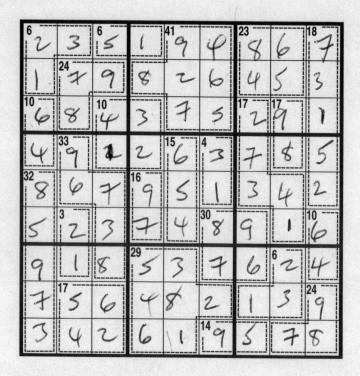

🕐 14 MINUTES

TIME TAKEN............................

Killer Su Doku

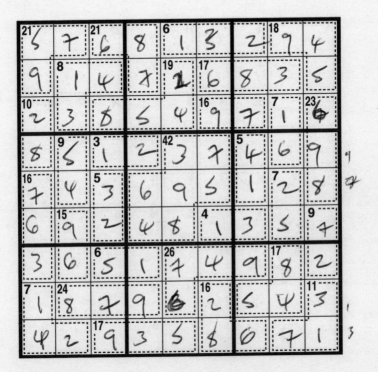

5	7	6	8	1	3	2	9	4
9	1	4	7	2	6	8	3	5
2	3	8	5	4	9	7	1	6
8	5	1	2	3	7	4	6	9
7	4	3	6	9	5	1	2	8
6	9	2	4	8	1	3	5	7
3	6	5	1	7	4	9	8	2
1	8	7	9	6	2	5	4	3
4	2	9	3	5	8	6	7	1

⏱ 14 MINUTES

TIME TAKEN...........................

Moderate

786

41 2	9	10 6	4	21 8	7	27 3	5	1
8	4	4 3	1	6	7 5	2	7	9
7	5	5 1	14 9	4 3	2	14 6	8	11 4
8 3	6	4	5	1	17 8	9	3 2	7
5	10 2	10 7	3	9 9	12 4	8	1	9 6
7 1	8	16 9	7	6 2	15 6	6 5	37 4	3
6	9 7	2	14 8	4	9	1	3	5
30 4	1	8	6	14 5	10 3	7	9	2
9	3	5	2	7	5 1	4	6	8

🕐 14 MINUTES

TIME TAKEN...........................

Killer Su Doku

34

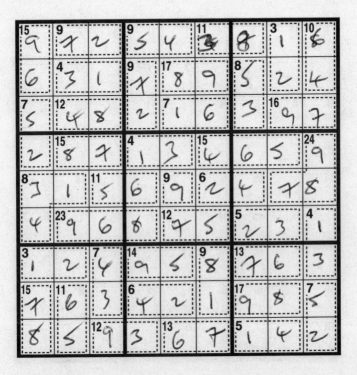

🕐 14 MINUTES

TIME TAKEN............................

Moderate

35

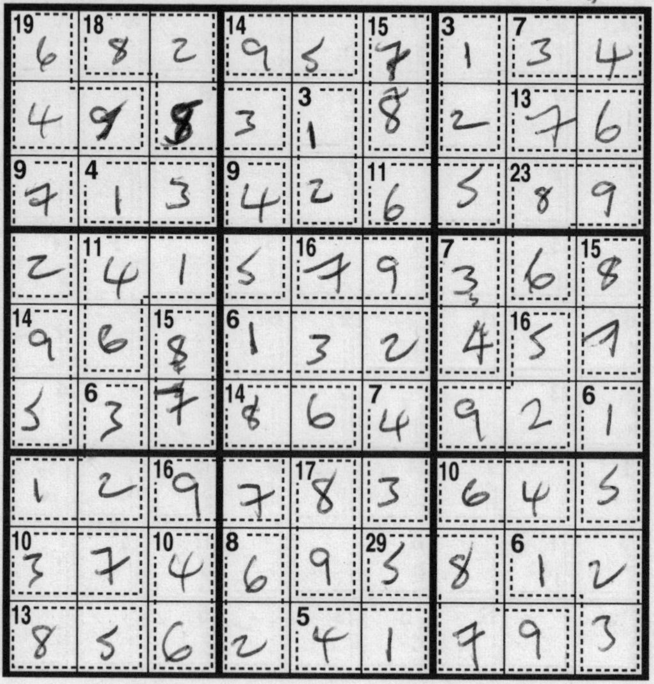

14 MINUTES

TIME TAKEN........................

23 9	20 7	8	6 4	14 6	3	5	3 2	1
3	7 1	5	2	24 8	9	7	15 6	12 4
6	2	4	12 5	10 7	4 1	3	9	8
5	13 6	7	1	3	13 4	9	13 8	11 2
21 4	8	9	6	11 2	18 7	7 1	5	3
4 1	3	3 2	15 8	9	5	4	15 7	6
24 8	9	1	7	12 4	6	2	3	5
7	10 4	6	3	5	10 2	14 8	5 1	16 7
10 2	5	3	10 9	1	8	6	4	7

5 3 2

6
8 4 9
        7

⏱ 15 MINUTES

TIME TAKEN..........................

Moderate

37

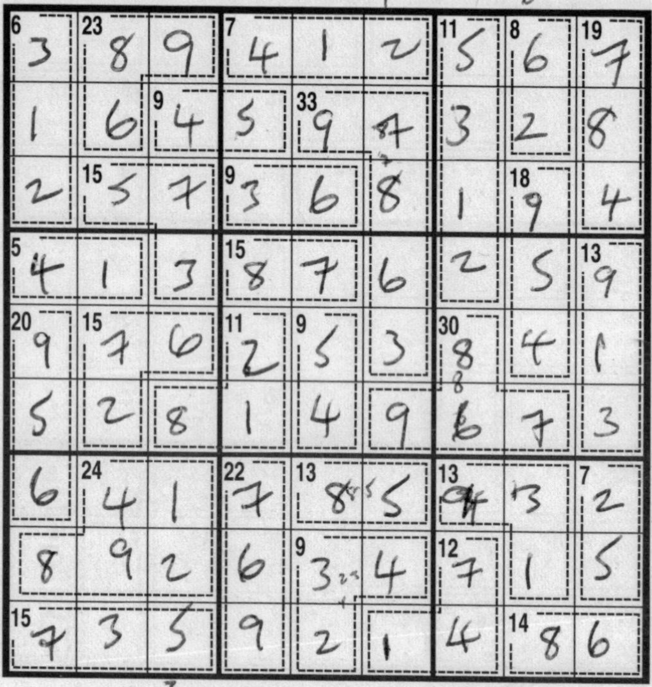

15 MINUTES

TIME TAKEN..........................

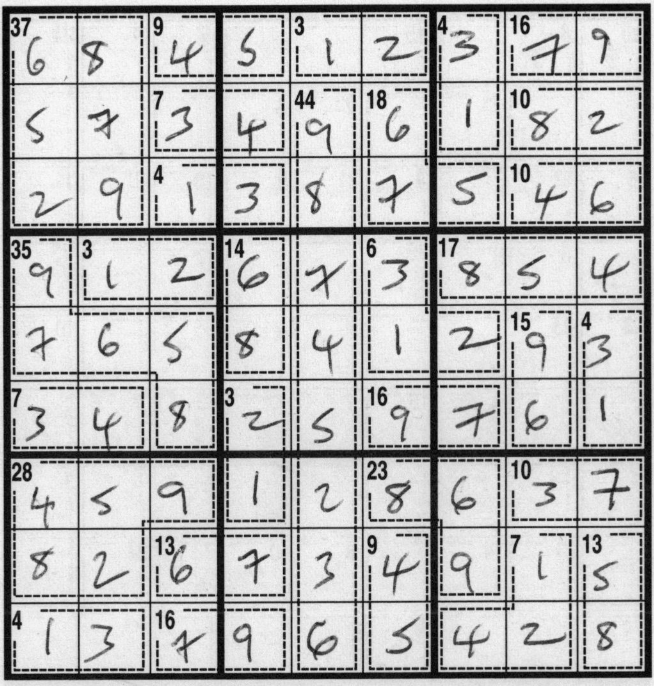

38

Killer Sudoku grid (handwritten answers):

37 6	8	9 4	5	3 1	2	4 3	16 7	9
5	7	7 3	4	44 9	18 6	1	10 8	2
2	9	4 1	3	8	7	5	10 4	6
35 9	3 1	2	14 6	7	6 3	17 8	5	4
7	6	5	8	4	1	2	15 9	4 3
7 3	4	8	3 2	5	16 9	7	6	1
28 4	5	9	1	2	23 8	6	10 3	7
8	2	13 6	7	3	9 4	9	7 1	13 5
4 1	3	16 7	9	6	5	4	2	8

🕐 15 MINUTES

TIME TAKEN...........................

Moderate

39

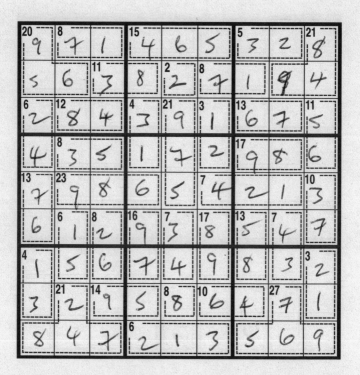

⏱ 15 MINUTES

TIME TAKEN............................

Killer Su Doku

40 **5**	**4**	**6**	6 **2**	15 **8**	**7**	13 **9**	**8**	**3**
9	**7**	**3**	**1**	8 **5**	8 **6**	**2**	29 **4**	**8**
8	**1**	7 **2**	16 **9**	**3**	5 **4**	**1**	**6**	**5**
24 **6**	**2**	**5**	**7**	17 **9**	**8**	15 **4**	**3**	**1**
7	**9**	12 **8**	**4**	4 **1**	**3**	**5**	**2**	22 **6**
10 **1**	18 **3**	**4**	14 **6**	13 **2**	14 **5**	10 **7**	28 **8**	**9**
2	**6**	**5**	**8**	**4**	**9**	**3**	**1**	**7**
3	24 **8**	6 **1**	**5**	**7**	3 **2**	**6**	**9**	**4**
4	**7**	**9**	9 **3**	**6**	**1**	15 **8**	**5**	**2**

◷ 16 MINUTES

TIME TAKEN.............................

Moderate

41

25 4	9	4 3	15 7	8	8 6	2	6 1	5
7	5	1	18 9	4	10 2	3	21 8	6
21 8	2	10 6	5	10 3	1	4	12 9	7
5	6	4	6 2	7	17 9	8	3	3 1
4 3	17 8	9	4	1 1	8 5	13 7	6	2
1	11 7	10 2	8	8 6	3	6 5	23 4	9
18 9	4	19 5	6	2	17 8	1	7	3
6	3	7	1	5	4	15 9	19 2	8
3 2	1	11 8	3	16 9	7	6	5	4

🕐 16 MINUTES

TIME TAKEN.............................

Killer Su Doku

⏱ 17 MINUTES

TIME TAKEN.............................

Moderate

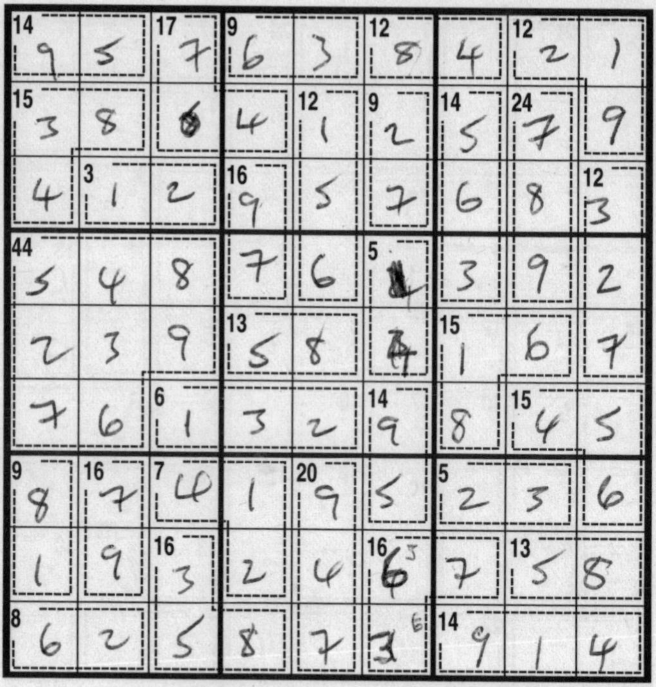

43

A Killer Su Doku puzzle grid (9×9) with cage sums and filled-in answers:

14 9	5	17 7	9 6	3	12 8	4	12 2	1
15 3	8	6	4	12 1	9 2	14 5	24 7	9
4	3 1	2	16 9	5	7	6	8	12 3
44 5	4	8	7	6	5 1	3	9	2
2	3	9	13 5	8	4	15 1	6	7
7	6	6 1	3	2	14 9	8	15 4	5
9 8	16 7	7 4	1	20 9	5	5 2	3	6
1	9	16 3	2	4	16 6	7	13 5	8
8 6	2	5	8	7	3	14 9	1	4

🕐 17 MINUTES

TIME TAKEN...........................

Killer Su Doku

18 6	4	17 9	13 2	11 1	3	7	14 5	8
3	5	8	7	4	14 9	11 6	2	1
20 7	1	5 2	23 3	8	5	3	16 9	13 4
4	8	3	13 5	9	3 1	2	7	6
22 9	13 6	7	8	2 2	10 4	6 5	1	3
5	9 2	4 1	3	12 7	6	5 4	26 8	9
8	7	13 6	10 9	3	2	1	4	5
12 2	3	4	1	20 5	8	17 9	18 6	7
1	9	15 5	4	6	7	8	3	2

🕐 17 MINUTES

TIME TAKEN...........................

Moderate

45

9		10		21	14	29		
5	1	6	4	7	8	2	9	3
3	17 2	7	5	9	6	16 4	1	8
13 2	8	10 4	3 3	2	1	7	5	6
4	23 6	2	1	12 5	3	14 9	15 8	7
8	9	4 1	24 7	**6**	4	5	11 3	2
12 7	5	3	9	8	11 2	1	6	13 4
24 6	21 4	8	3 2	1	5	3	17 7	9
1	3	9	14 6	14 4	7	8	2	10 5
2	7	5	8	3	15 9	6	4	1

🕐 18 MINUTES

TIME TAKEN............................

Killer Su Doku

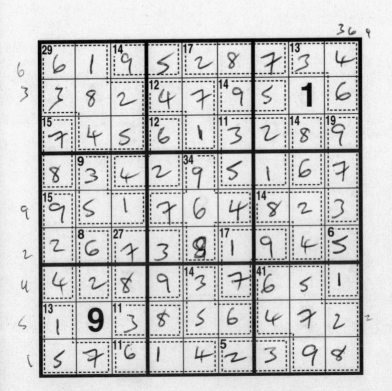

36 9

6	1	9	5	2	8	7	3	4
7	8	2	4	7	9	5	1	6
7	4	5	6	1	3	2	8	9
8	3	4	2	9	5	1	6	7
9	5	1	7	6	4	8	2	3
2	6	7	3	8	1	9	4	5
4	2	8	9	3	7	6	5	1
1	9	3	8	5	6	4	7	2
5	7	6	1	4	2	3	9	8

6
3

9

2

4

5

1

🕐 21 MINUTES

TIME TAKEN...........................

Moderate

🕐 20 MINUTES

TIME TAKEN...........................

Killer Su Doku

Tricky

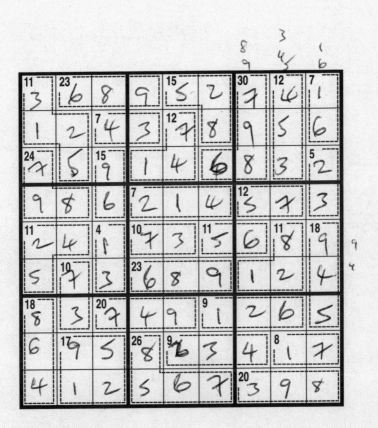

⏱ 17 MINUTES

TIME TAKEN...........................

Tricky

49

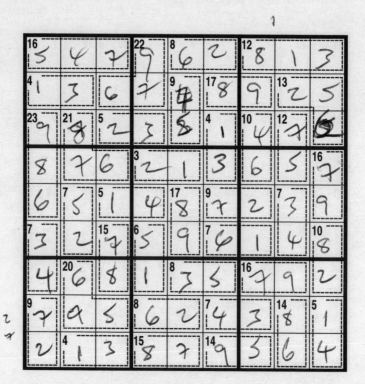

TIME TAKEN............................

Killer Su Doku

50

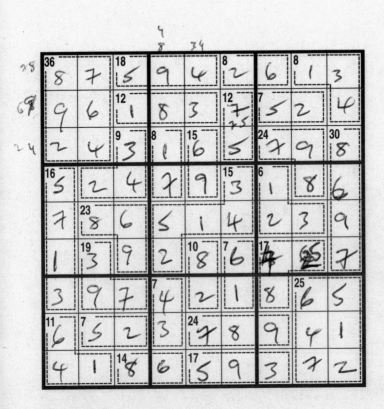

🕐 17 MINUTES

TIME TAKEN...........................

Tricky

51

(clock) 17 MINUTES

TIME TAKEN...........................

Killer Su Doku

🕐 19 MINUTES

TIME TAKEN...........................

Tricky

53

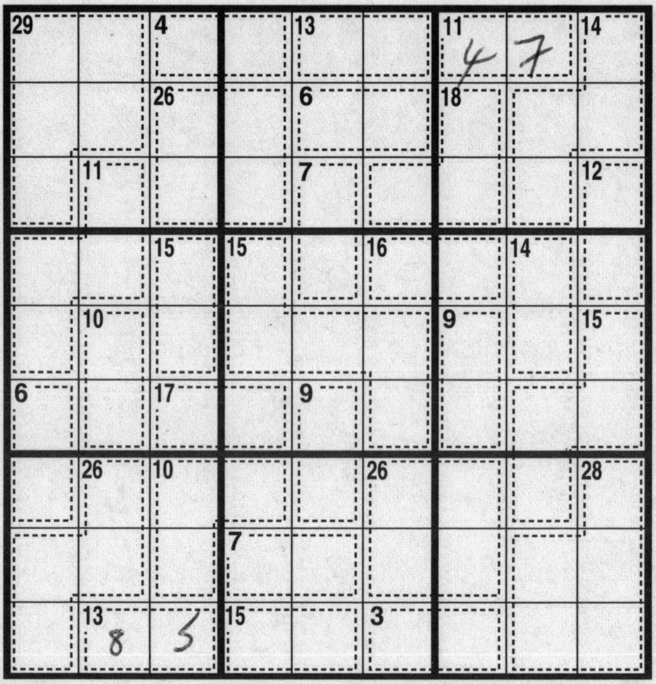
29 4 13 11 14
26 6 18
11 7 12
15 15 16 14
10 9 15
6 17 9
26 10 26 28
7
13 15 3

19 MINUTES

TIME TAKEN.........................

Killer sudoku grid (solution filled in by hand):

14:1	8	3	2	16:9	7	19:4	5	6
20:5	2	15:9	6	9:4	27:8	7	1	3
7	6	18:2	9:1	5	3	9	6:2	15:8
8:2	9	5	8	15:3	7:6	1	4	7
6	15:7	8	5	1	4	5:2	3	14:9
12:4	8:3	8:1	7	2	10:9	17:6	8	5
8	5	21:2	9	14:6	1	3	18:7	4
23:9	4	7	3	8	7:2	5	6	1
3	1	6	11:4	7	24:5	8	9	2

🕐 19 MINUTES

TIME TAKEN...........................

Tricky

55

Killer Sudoku grid (completed):

6	3	2	8	5	9	7	1	4
7	4	1	6	3	2	8	5	9
9	8	5	7	4	1	6	3	2
5	2	6	9	8	4	3	7	1
8	7	9	2	1	3	4	6	5
3	1	4	5	6	7	2	9	8
4	6	8	3	9	5	1	2	7
2	5	3	1	7	8	9	4	6
1	9	7	4	2	6	5	8	3

Cage clues: 27, 17, 10, 29, 7, 30, 15, 16, 12, 38, 28, 6, 9, 15, 12, 12, 24, 35, 16, 24, 23

Margin notes: 44, 589, 236, 13, 89, 456, 468, 89, 25, 64, 91, 358

🕐 20 MINUTES

TIME TAKEN............................

Killer Su Doku

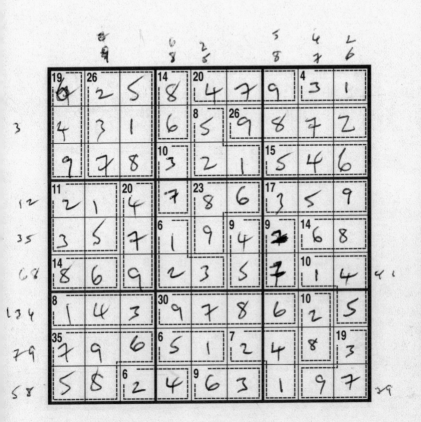

Tricky

57

24 8	21 9	12 1	7	4	5 2	8 5	3	7 6
6	7	15 2	8	5	3 3	20 4	9	1
3	5	9 4	3 1	23 9	6	8	7	34 2
7	29 4	5	2	4 3	1	6	8	9
2	8	31 9	5	6	4	7	1	3
1	3	6	17 9	8	16 7	3 2	5	24 4
5	10 6	13 8	3	2	9	1	12 4	7
13 4	1	3	10 6	24 7	8	9	2	5
9	9 2	7	4	9 1	5	3	6	8

🕐 20 MINUTES

TIME TAKEN...........................

Killer Su Doku

22		14				7	24	
5	9	3	8	1	2	4	6	7
6	13 1	7	5	7 4	21 9	3	2	8
2	15 4	14 8	18 6	3	7	5	1	11 9
13 4	3	6	7	5	16 1	24 8	9	2
9	8	8 1	2	6	3	7	12 5	5 4
10 7	2	5	4	23 9	8	15 6	3	4
3	27 7	6 2	1	10 8	6	9	4	22 5
8	5	13 9	3	2	12 4	1	7	6
1	6	4	23 9	7	5	2	8	3

🕐 **20 MINUTES**

TIME TAKEN.............................

Tricky

59

Killer Su Doku grid (completed by hand):

6	1	7	5	9	4	8	3	2
8	5	2	1	7	3	4	9	6
3	4	9	6	2	8	5	1	7
7	8	5	9	4	2	1	6	3
9	6	3	8	1	7	2	5	4
4	2	1	3	5	6	9	7	8
2	9	8	7	3	5	6	4	1
5	7	4	2	6	1	3	8	9
1	3	6	4	8	9	7	2	5

🕐 21 MINUTES

TIME TAKEN.............................

Killer Su Doku

60

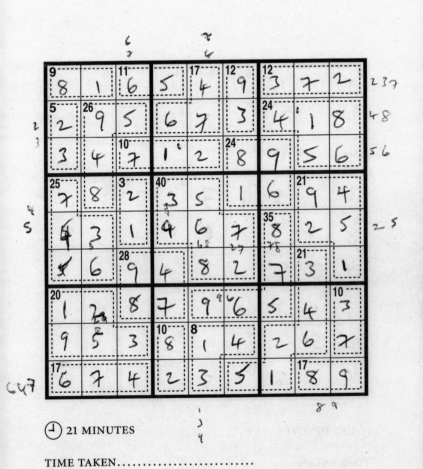

9 8	1	11 6	5	17 4	12 9	12 3	7	2
5 2	26 9	5	6	7	3	24 4	1	8
3	4	10 7	1	2	24 8	9	5	6
25 7	8	3 2	40 3	5	1	6	21 9	4
4	3	1	4	6	7	35 8	2	5
1	6	28 9	4	8	2	7	21 3	1
20 1	2	8	7	9	6	5	4	10 3
9	5	3	10 8	8 1	4	2	6	7
17 6	7	4	2	3	5	1	17 8	9

🕐 21 MINUTES

TIME TAKEN...........................

Tricky

61

⏱ 22 MINUTES

TIME TAKEN..............................

Killer Su Doku

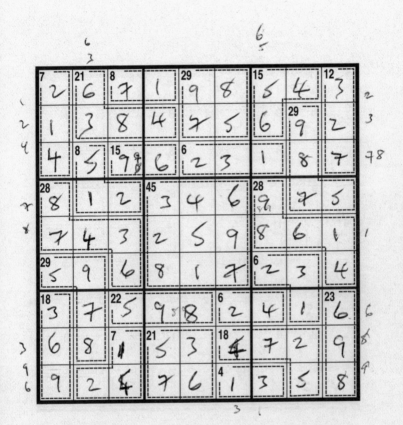

7 2	21 6	8 7	1	29 9	8	15 5	4	12 3
1	3	8	4	7	5	6	29 9	2
4	8 5	15 9	6	6 2	3	1	8	7
28 8	1	2	45 3	4	6	28 9	7	5
7	4	3	2	5	9	8	6	1
29 5	9	6	8	1	7	6 2	3	4
18 3	7	22 5	9	8	6 2	4	1	23 6
6	8	7 1	21 5	3	18 4	7	2	9
9	2	4	7	6	4 1	3	5	8

🕐 22 MINUTES

TIME TAKEN...........................

Tricky

63

9	17		17			16		
1	7	4	6	8	9	2	3	5
8	8 2	9 5	4	4 3	8 7	1	6	24 9
15 9	6	8 3	5	1	3 2	7 4	8	7
6	6 4	2	34 7	9	1	3	19 5	8
16 7	1	11 8	3	6	14 5	9	4	2
5	3	15 9	11 2	4	8	13 6	7	5 1
13 2	8	6	9	12 7	8 3	5	3 1	4
3	19 9	8 7	1	5	12 4	8	2	9 6
4	5	1	10 8	2	22 6	7	9	3

🕐 22 MINUTES

TIME TAKEN............................

Killer Su Doku

⏱ 22 MINUTES

TIME TAKEN............................

Tricky

TIME TAKEN..............................

Killer Su Doku

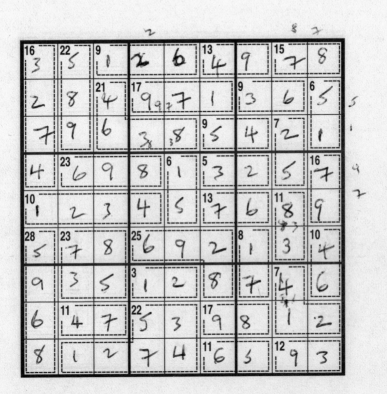

Tricky

🕐 24 MINUTES

TIME TAKEN...........................

Killer Su Doku

(L) 25 MINUTES

TIME TAKEN.............................

Tricky

69

(clock icon) 26 MINUTES

TIME TAKEN...........................

Killer Su Doku

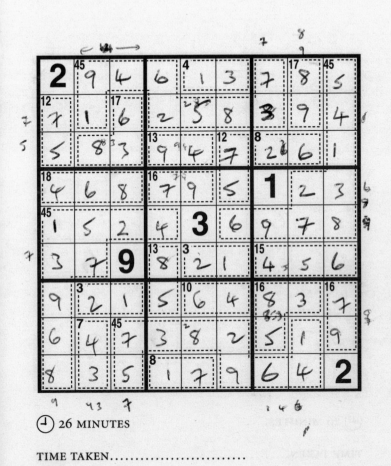

TIME TAKEN...........................

Tricky

🕐 26 MINUTES

TIME TAKEN.................................

Killer Su Doku

21		10	14		10		18	
7	8	1	5	3	4	6	2	9
4	2	9	6	8 (11)	1	3 (9)	5	7
6 (11)	5	3 (12)	9	2	7 (24)	8	8	4 (5)
2 (10)	7	5 (13)	8	4 (28)	3	9	6 (19)	1
1	9 (16)	4	2	7	6	5	8	3 (9)
8 (17)	3	6 (21)	1	5	4 (16)	7	4	2
9	4 (17)	8	7	6 (11)	2 (3)	1	3 (8)	5
3 (9)	6	7	4	1	5 (22)	2 (6)	9 (30)	8
5	1	2 (5)	3	9	8	4	7	6

🕐 26 MINUTES

TIME TAKEN............................

Tricky

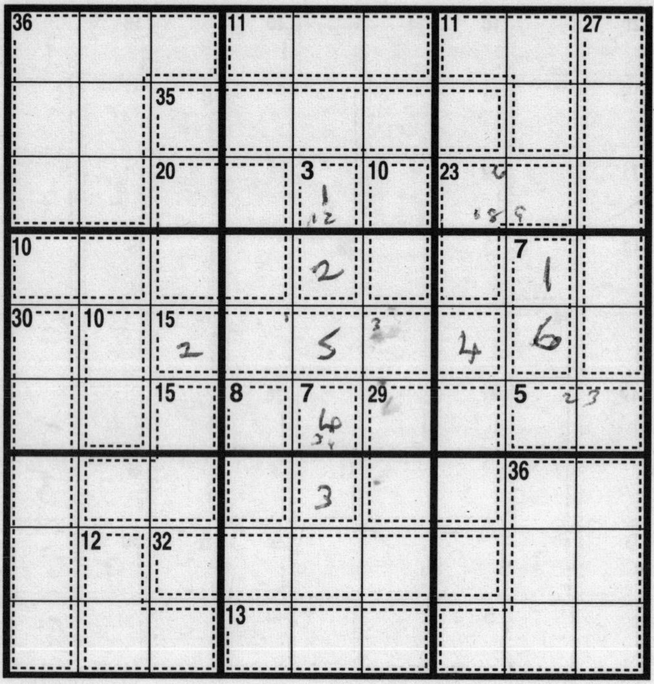
36
11
11
27
35
20
3
10
23
10
7
30
10
15
15
8
7
29
5
36
12
32
13

26 MINUTES

TIME TAKEN...............................

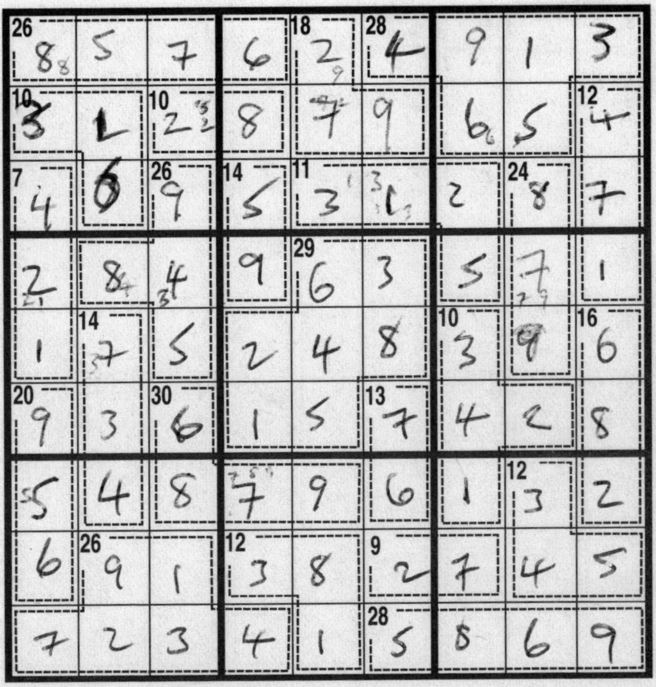

27 MINUTES

TIME TAKEN............................

Tricky

⏱ 27 MINUTES

TIME TAKEN............................

Killer Su Doku

21			17	20		17		
6	2	3	4	8	3	9	7	1
1	5	7	6	16 9	5	4	15 2	8
4	29 8	9	10 1	7	12 2	23 3	14 6	5
28 2	7	5	9	15 3	8	1	8	27 4
8	3 3	6	2	1	4	5	9	7
9	10 4	14 1	8	5	8 7	22 6	3	2
11 7	6	2	3	6 4	1	8	5	25 9
3	3 1	26 8	5	2	24 9	7	4	6
18 5	9	4	7	6	8	2	1	3

⏱ 27 MINUTES

TIME TAKEN............................

Tricky

(L) 27 MINUTES

TIME TAKEN.............................

Killer Su Doku

(L) 27 MINUTES

TIME TAKEN...........................

Tricky

7

9 3	1	10 4	6	25 8	7	20 9	5	2
5	22 2	8	1	9	10 3	7	4	24 6
17 6	9	7	5	5 4	15 2	1	8	3
2	14 6	12 3	9	1	8	4	7	14 5
11 7	8	15 1	2	5	4	3	7 6	9
4	29 5	30 9	7	5 3	8 6	2	1	15 8
9	7	6	8	2	21 1	5	3	4
8	13 3	6 2	4	21 7	5	6	9	10 1
1	4	5	3	6	17 9	8	2	7

3

34

8

10

1.45

27

7 1 3   36 75 89

🕐 29 MINUTES

TIME TAKEN...........................

Killer Su Doku

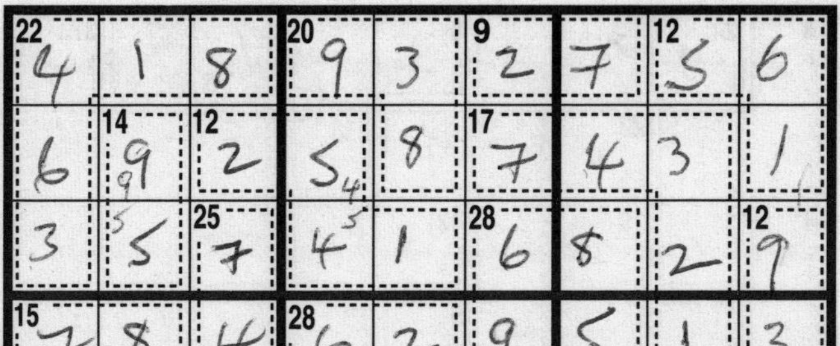

29 MINUTES

TIME TAKEN..........................

Tricky

81

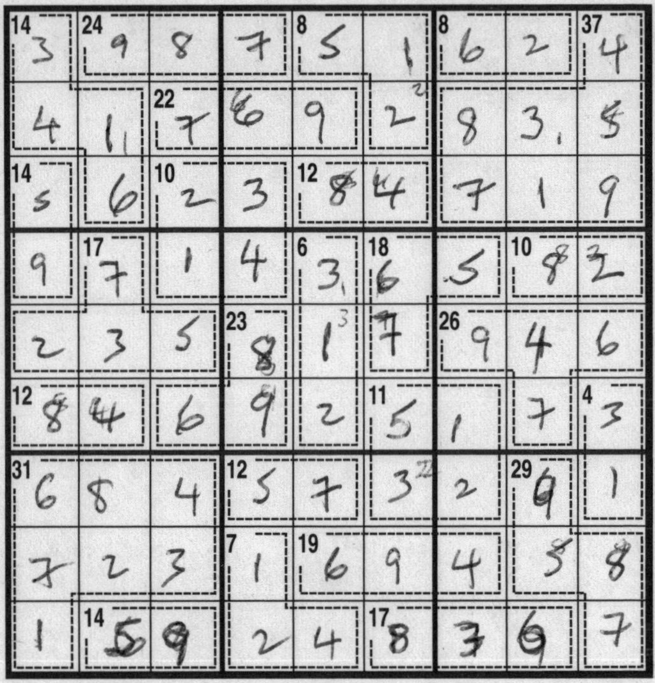

30 MINUTES

TIME TAKEN..........................

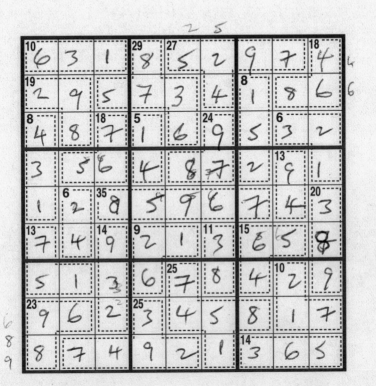

TIME TAKEN............................

Tricky

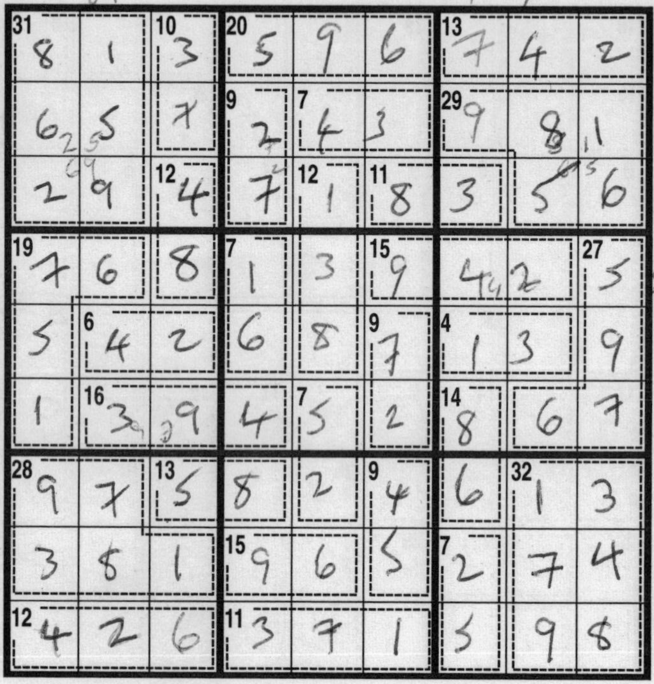

32 MINUTES

TIME TAKEN..........................

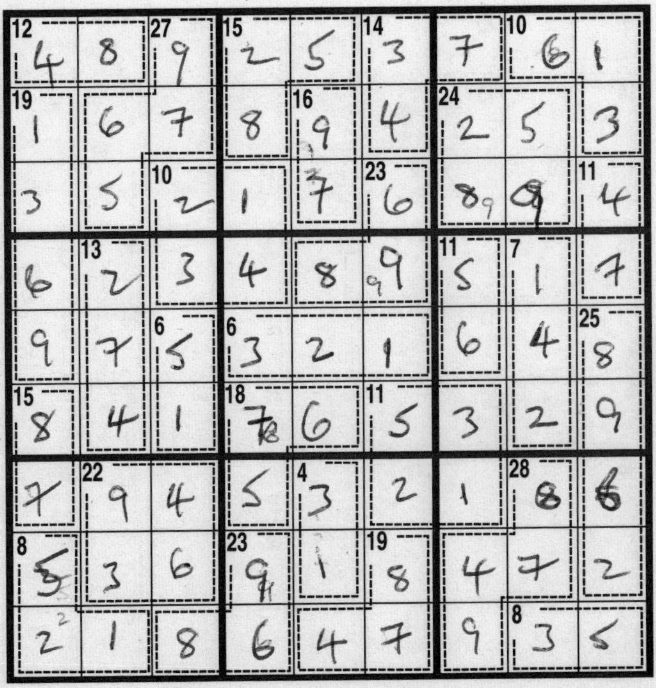

32 MINUTES

TIME TAKEN..........................

⏱ 32 MINUTES

TIME TAKEN...........................

Killer Su Doku

86

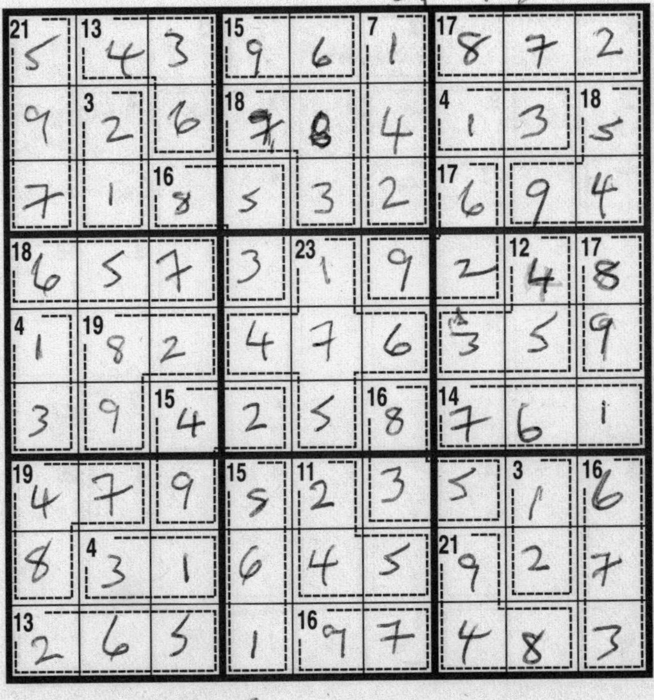

32 MINUTES

TIME TAKEN..............................

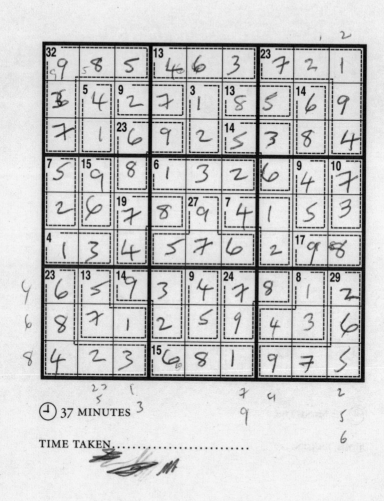

TIME TAKEN..............................

Killer Su Doku

6 7 8 9

				17			30	
19|					**3**			9
	28		9		14				
					9	5			
24					10		13	7	
	9				3		4	1	
	18						9		
14			23			21			
	5	11		32				21	
				16					
22		14						15	
		22							

8 9
7

1
2
4

89

Killer Su Doku

⏱ 40 MINUTES

TIME TAKEN...........................

Tough

( ) **31 MINUTES**

TIME TAKEN..............................

Tough

Killer Su Doku

🕐 42 MINUTES

TIME TAKEN...........................

Tough

93

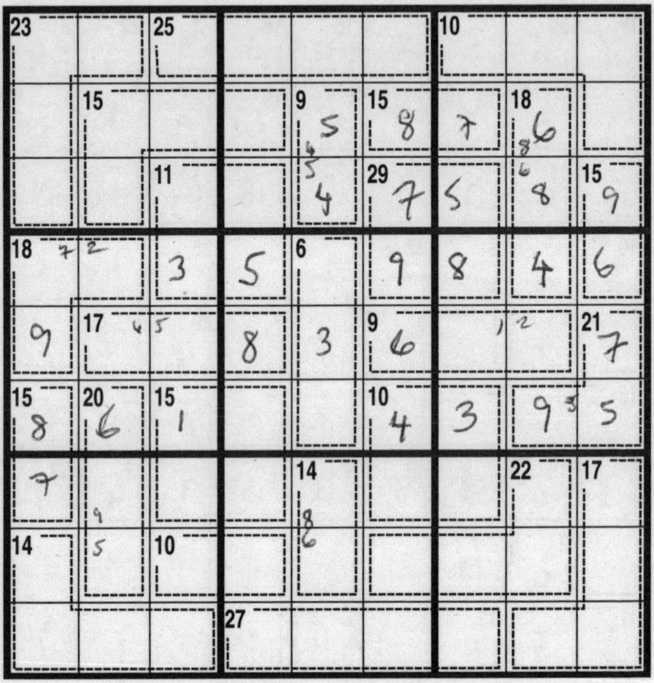

44 MINUTES

TIME TAKEN..........................

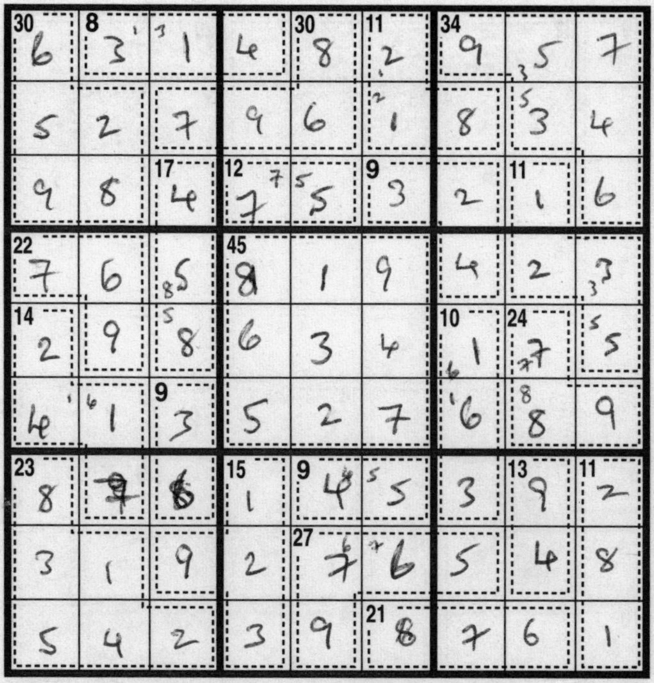
30
8
30
11
34
17
12
9
11
22
45
14
10
24
9
23
15
9
13
11
27
21

45 MINUTES

TIME TAKEN.............................

Tough

168
267

6
7
9   3
1 2 3 4
←12→
3 8 2

19 8 | 32 9 | 4 | 1 | 6 | 7 2 | 29 5 | 7 | 3

6 7
6 | 7 | 3 | 26 4 | 9 | 5 | 7 2 | 1 | 8

12
1 | 2 | 16 5 | 3 | 8 | 20 7 | 9 | 4 | 6

684
4 | 16 8 | 6 | 2 | 5 | 1 | 3 | 28 9 | 11 7

12
3 | 1 | 2 | 24 8 | 7 | 9 | 6 | 5 | 4

7
9 | 5 | 27 7 | 6 | 14 3 | 20 4 | 1 | 8 | 17 2

9 2 | 17 6 | 9 | 5 | 4 | 8 | 7 | 9 3 | 1

6
7
7 | 3 | 8 | 16 9 | 1 | 6 | 4 | 2 | 5

10 5 | 4 | 1 | 7 | 19 2 | 3 | 8 | 6 | 9

(⏱) 45 MINUTES

TIME TAKEN....................

Killer Su Doku

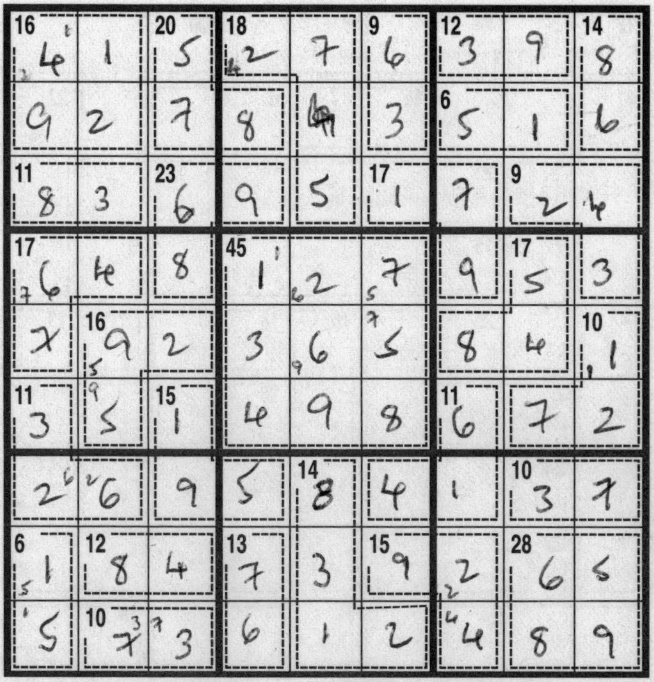

45 MINUTES

TIME TAKEN..............................

12		20		8		30		
41			15		6			23
		21						
	7	15					9	
		25		16	18			19
	7				28			
	24							25
	22							
							14	

(🕐) 45 MINUTES

TIME TAKEN..........................

Killer Su Doku

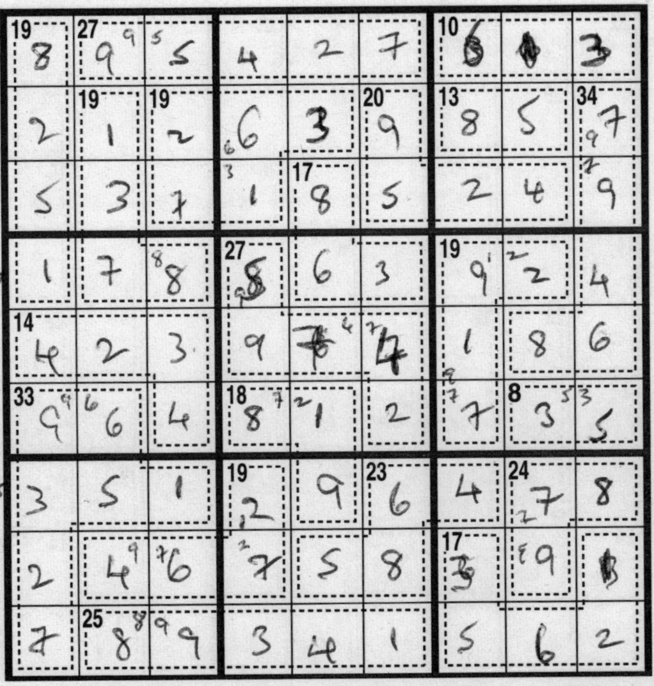

45 MINUTES

TIME TAKEN..........................

Tough

Killer Su Doku grid with handwritten solution:

20 8	7	16 9	5	2	22 3	1	4	6
5	20 1	4	7	21 9	6	2	11 3	8
6	2	12 3	1	4	30 8	9	5	10 7
14 9	4	2	6	30 8	5	7	1	3
1	28 8	22 5	3	7	4	6	2	22 9
7 3	6	7	2	1	28 9	4	8	5
4	5	1	9	22 3	7	8	19 6	2
24 2	9	6	8	5	1	3	7	14 4
8	3	8	4	13 6	2	5	9	1

(🕐) 46 MINUTES

TIME TAKEN..........................

Killer Su Doku

100

2875

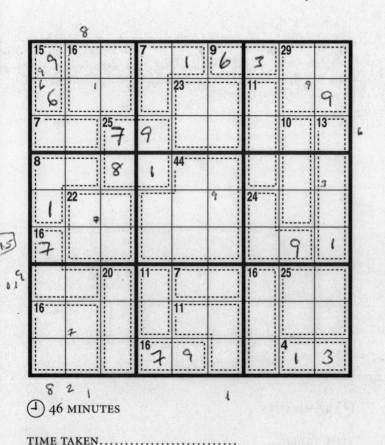

8

15 9 | 16 | | 7 | | 1 | 9 6 | 3 | 29 | |
6 6 | | 1 | | | 23 | | 11 | | 9 | 9
7 | | 25 7 | 9 | | | | 10 | 13 | 6
8 | | | 8 | 1 | 44 | | | | |
1 | 22 | 7 | | | 9 | 24 | | 3 |
16 7 | | | | | | | 9 | 1
| | 20 | 11 | 7 | | 16 | 25 | |
16 | 7 | | 11 | | | | |
| | | 16 7 | 9 | | 4 1 | 3

15

0.9

8 2 1   1

(clock) 46 MINUTES

TIME TAKEN.............................

Tough

⏱ 47 MINUTES

TIME TAKEN...........................

Killer Su Doku

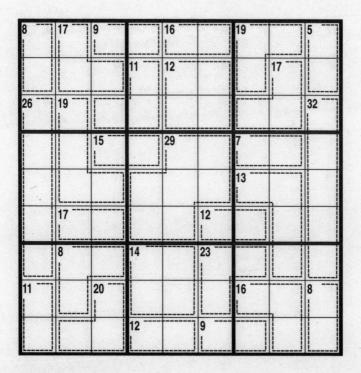

103

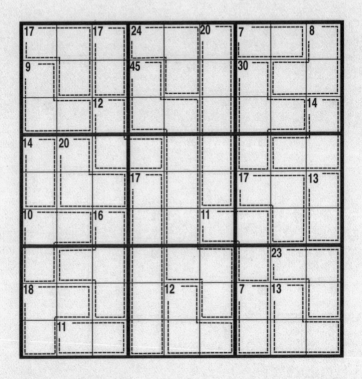

(L) 47 MINUTES

TIME TAKEN...........................

Killer Su Doku

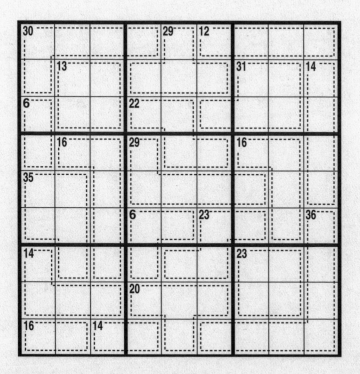

105

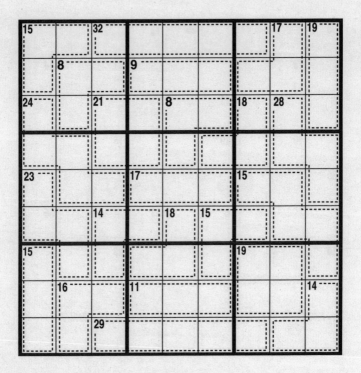

🕐 50 MINUTES

TIME TAKEN...........................

Killer Su Doku

Deadly

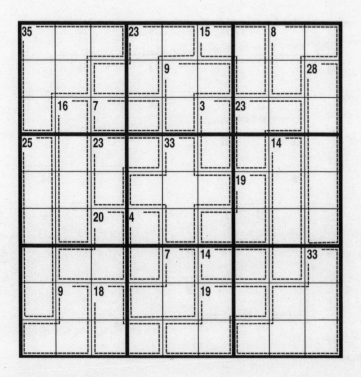

TIME TAKEN...........................

Deadly

107

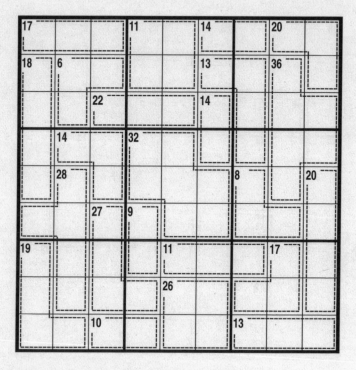

⏲ 55 MINUTES

TIME TAKEN...........................

Killer Su Doku

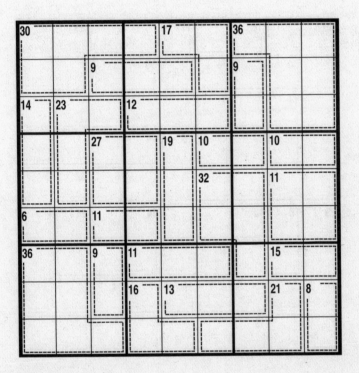

TIME TAKEN...........................

Deadly

109

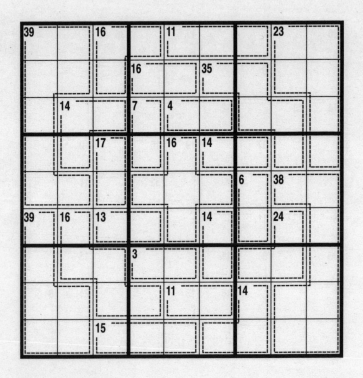

🕐 62 MINUTES

TIME TAKEN..........................

Killer Su Doku

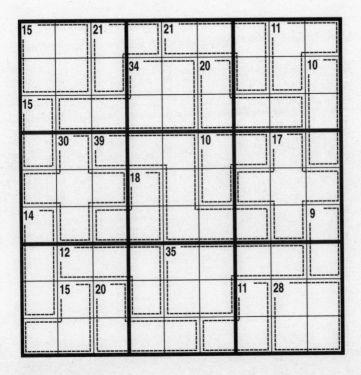

Solutions

Gentle

1

7	6	1	9	2	5	8	3	4
9	2	8	3	4	7	6	1	5
3	5	4	1	6	8	9	7	2
1	3	5	2	8	9	7	4	6
2	9	7	4	3	6	1	5	8
4	8	6	7	5	1	2	9	3
6	4	9	8	7	3	5	2	1
8	1	2	5	9	4	3	6	7
5	7	3	6	1	2	4	8	9

2

6	4	2	1	3	9	7	5	8
5	3	1	6	7	8	4	2	9
8	9	7	5	4	2	1	3	6
4	6	9	2	1	7	5	8	3
7	8	5	4	6	3	2	9	1
2	1	3	8	9	5	6	7	4
3	5	6	7	8	4	9	1	2
1	2	8	9	5	6	3	4	7
9	7	4	3	2	1	8	6	5

3

3	6	9	7	2	1	8	5	4
8	5	2	9	6	4	1	3	7
7	4	1	5	8	3	9	6	2
6	1	3	2	4	8	7	9	5
9	8	5	1	3	7	4	2	6
2	7	4	6	9	5	3	1	8
1	9	8	4	5	2	6	7	3
4	2	7	3	1	6	5	8	9
5	3	6	8	7	9	2	4	1

4

2	5	3	9	4	7	8	6	1
6	1	4	2	5	8	9	3	7
9	8	7	1	3	6	5	2	4
5	3	9	4	7	2	1	8	6
7	6	2	8	1	9	3	4	5
8	4	1	3	6	5	7	9	2
3	9	6	7	2	1	4	5	8
4	7	5	6	8	3	2	1	9
1	2	8	5	9	4	6	7	3

Killer Su Doku

5

2	5	7	9	8	1	4	3	6
4	1	9	5	3	6	7	2	8
3	6	8	7	4	2	1	9	5
1	7	3	2	5	4	8	6	9
5	9	6	8	1	3	2	7	4
8	2	4	6	9	7	3	5	1
7	4	1	3	6	5	9	8	2
9	3	5	1	2	8	6	4	7
6	8	2	4	7	9	5	1	3

6

4	5	1	9	2	3	6	7	8
7	8	2	6	4	5	1	9	3
6	9	3	1	7	8	2	5	4
1	6	9	8	5	4	7	3	2
2	7	8	3	6	9	4	1	5
3	4	5	7	1	2	9	8	6
9	2	4	5	8	1	3	6	7
8	1	7	4	3	6	5	2	9
5	3	6	2	9	7	8	4	1

7

3	9	8	1	2	4	6	7	5
2	5	7	9	6	3	1	4	8
1	6	4	5	7	8	3	9	2
4	1	9	2	3	6	5	8	7
8	2	5	4	1	7	9	3	6
7	3	6	8	9	5	2	1	4
5	7	1	3	8	2	4	6	9
9	8	2	6	4	1	7	5	3
6	4	3	7	5	9	8	2	1

8

5	8	7	1	9	2	4	6	3
6	1	9	5	4	3	7	2	8
2	3	4	7	8	6	1	9	5
1	6	3	4	5	7	2	8	9
7	5	8	2	3	9	6	1	4
4	9	2	6	1	8	5	3	7
3	7	1	8	2	5	9	4	6
8	4	6	9	7	1	3	5	2
9	2	5	3	6	4	8	7	1

Killer Su Doku

9

7	9	8	2	5	1	6	3	4
3	1	6	8	7	4	9	2	5
4	2	5	6	9	3	8	7	1
1	6	7	9	4	8	2	5	3
2	8	3	5	1	6	4	9	7
9	5	4	7	3	2	1	6	8
8	7	2	4	6	5	3	1	9
6	3	9	1	8	7	5	4	2
5	4	1	3	2	9	7	8	6

10

2	4	3	7	6	8	9	1	5
6	8	7	5	9	1	2	3	4
1	5	9	3	2	4	6	8	7
5	7	4	1	3	6	8	9	2
3	9	6	8	5	2	4	7	1
8	1	2	4	7	9	5	6	3
4	3	5	6	8	7	1	2	9
7	2	8	9	1	5	3	4	6
9	6	1	2	4	3	7	5	8

11

3	1	2	5	9	8	7	4	6
5	7	6	4	2	3	1	9	8
9	8	4	1	7	6	2	3	5
7	9	5	2	8	1	3	6	4
4	2	1	6	3	5	9	8	7
6	3	8	9	4	7	5	2	1
1	4	3	8	5	9	6	7	2
2	5	9	7	6	4	8	1	3
8	6	7	3	1	2	4	5	9

12

5	6	2	1	9	8	3	4	7
7	8	3	6	4	2	1	5	9
4	9	1	5	3	7	2	8	6
8	7	5	4	1	9	6	2	3
3	2	9	8	7	6	4	1	5
6	1	4	3	2	5	7	9	8
2	5	7	9	6	4	8	3	1
9	3	6	2	8	1	5	7	4
1	4	8	7	5	3	9	6	2

Killer Su Doku

13

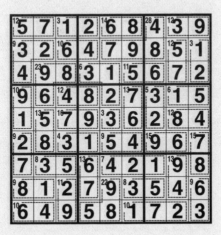

1	2	3	4	5	6	8	7	9
4	5	6	9	7	8	3	1	2
7	9	8	1	3	2	6	4	5
6	7	9	3	2	5	1	8	4
8	4	2	6	1	7	5	9	3
5	3	1	8	4	9	2	6	7
9	1	7	2	6	3	4	5	8
3	6	5	7	8	4	9	2	1
2	8	4	5	9	1	7	3	6

14

5	7	1	2	6	8	4	3	9
3	2	6	4	7	9	8	5	1
4	9	8	3	1	5	6	7	2
9	6	4	8	2	7	3	1	5
1	5	7	9	3	6	2	8	4
2	8	3	1	5	4	9	6	7
7	3	5	6	4	2	1	9	8
8	1	2	7	9	3	5	4	6
6	4	9	5	8	1	7	2	3

15

4	5	8	9	3	7	6	1	2
1	7	9	6	2	4	5	8	3
3	2	6	8	5	1	4	9	7
6	4	1	5	9	2	3	7	8
5	8	3	7	1	6	2	4	9
2	9	7	4	8	3	1	6	5
7	3	5	1	4	8	9	2	6
9	6	4	2	7	5	8	3	1
8	1	2	3	6	9	7	5	4

16

3	1	2	7	8	6	4	9	5
7	9	6	2	4	5	3	1	8
5	8	4	9	1	3	6	7	2
6	4	7	5	9	8	2	3	1
9	5	8	1	3	2	7	6	4
1	2	3	4	6	7	5	8	9
4	7	1	6	2	9	8	5	3
2	3	5	8	7	1	9	4	6
8	6	9	3	5	4	1	2	7

Killer Su Doku

6	4	2	1	3	5	9	7	8
5	1	9	7	2	8	4	3	6
3	8	7	6	9	4	2	1	5
1	5	3	9	8	7	6	4	2
9	7	4	2	5	6	1	8	3
8	2	6	4	1	3	7	5	9
4	9	8	3	6	1	5	2	7
7	6	5	8	4	2	3	9	1
2	3	1	5	7	9	8	6	4

Moderate

18

6	3	1	8	9	5	7	2	4
7	9	2	1	6	4	8	3	5
5	8	4	7	2	3	1	9	6
9	7	5	4	3	1	2	6	8
4	1	6	2	5	8	3	7	9
3	2	8	9	7	6	4	5	1
2	4	9	6	8	7	5	1	3
1	5	7	3	4	9	6	8	2
8	6	3	5	1	2	9	4	7

19

2	1	8	7	9	6	3	5	4
5	9	6	8	3	4	1	7	2
4	7	3	1	2	5	6	9	8
7	6	5	3	4	8	9	2	1
3	4	2	9	5	1	8	6	7
9	8	1	2	6	7	5	4	3
1	2	4	6	8	9	7	3	5
8	3	9	5	7	2	4	1	6
6	5	7	4	1	3	2	8	9

Killer Su Doku

20

7	9	3	6	1	8	2	4	5
5	6	1	7	2	4	3	8	9
4	8	2	9	5	3	1	7	6
6	3	4	5	8	7	9	2	1
8	7	5	1	9	2	6	3	4
2	1	9	3	4	6	8	5	7
1	4	7	2	3	9	5	6	8
3	5	6	8	7	1	4	9	2
9	2	8	4	6	5	7	1	3

21

5	6	9	7	2	3	1	4	8
2	4	8	9	1	5	6	3	7
7	3	1	6	8	4	2	5	9
8	9	4	1	3	6	5	7	2
6	2	5	4	9	7	3	8	1
3	1	7	2	5	8	9	6	4
1	8	6	5	4	9	7	2	3
9	7	3	8	6	2	4	1	5
4	5	2	3	7	1	8	9	6

22

1	2	7	3	9	8	6	4	5
3	4	6	7	2	5	1	9	8
5	8	9	1	4	6	2	7	3
8	3	2	5	7	4	9	6	1
4	7	1	9	6	3	8	5	2
6	9	5	2	8	1	4	3	7
7	6	8	4	3	2	5	1	9
9	5	4	8	1	7	3	2	6
2	1	3	6	5	9	7	8	4

23

6	5	3	1	2	8	4	9	7
8	4	1	6	7	9	3	2	5
9	7	2	3	5	4	1	6	8
5	9	4	2	1	7	8	3	6
2	6	8	9	4	3	5	7	1
3	1	7	8	6	5	9	4	2
7	8	6	4	3	1	2	5	9
1	3	5	7	9	2	6	8	4
4	2	9	5	8	6	7	1	3

Killer Su Doku

24

2	1	9	3	7	8	5	6	4
8	4	7	6	5	1	9	2	3
5	6	3	2	4	9	7	8	1
7	5	6	8	3	4	1	9	2
4	2	8	9	1	7	3	5	6
3	9	1	5	2	6	4	7	8
1	8	4	7	9	2	6	3	5
6	7	5	4	8	3	2	1	9
9	3	2	1	6	5	8	4	7

25

6	2	5	9	1	8	4	3	7
3	8	7	4	6	2	1	9	5
4	9	1	3	5	7	8	2	6
2	1	6	8	4	5	9	7	3
8	7	9	2	3	1	5	6	4
5	3	4	7	9	6	2	8	1
1	5	3	6	8	9	7	4	2
9	6	2	1	7	4	3	5	8
7	4	8	5	2	3	6	1	9

26

6	2	8	7	9	3	4	5	1
1	4	9	5	2	6	8	7	3
5	7	3	8	1	4	2	9	6
7	8	4	9	3	1	6	2	5
9	3	6	2	8	5	7	1	4
2	5	1	4	6	7	9	3	8
8	6	2	3	5	9	1	4	7
3	1	7	6	4	2	5	8	9
4	9	5	1	7	8	3	6	2

27

5	8	3	7	2	4	1	6	9
6	7	1	3	9	5	8	2	4
4	9	2	6	8	1	5	7	3
7	2	4	1	5	3	9	8	6
3	1	6	9	7	8	2	4	5
9	5	8	4	6	2	7	3	1
8	3	5	2	1	6	4	9	7
1	6	7	8	4	9	3	5	2
2	4	9	5	3	7	6	1	8

Killer Su Doku

28

1	8	7	9	6	2	4	5	3
5	9	2	3	4	1	6	7	8
6	4	3	7	5	8	9	1	2
4	7	9	8	2	6	1	3	5
3	1	6	4	7	5	8	2	9
8	2	5	1	3	9	7	4	6
9	6	4	2	1	3	5	8	7
7	3	8	5	9	4	2	6	1
2	5	1	6	8	7	3	9	4

29

5	2	3	1	7	8	4	6	9
4	1	8	6	5	9	2	3	7
6	9	7	3	4	2	1	5	8
1	5	2	9	6	4	7	8	3
9	8	6	2	3	7	5	4	1
7	3	4	8	1	5	9	2	6
3	4	9	7	2	6	8	1	5
8	6	5	9	4	1	3	7	2
2	7	1	5	8	3	6	9	4

30

2	5	4	9	6	8	7	3	1
6	1	7	4	3	5	8	9	2
9	8	3	1	7	2	6	5	4
8	7	2	3	1	6	9	4	5
4	9	5	2	8	7	3	1	6
3	6	1	5	9	4	2	8	7
7	3	8	6	5	1	4	2	9
5	4	9	7	2	3	1	6	8
1	2	6	8	4	9	5	7	3

31

2	3	5	1	9	4	8	6	7
1	7	9	8	2	6	4	5	3
6	8	4	3	7	5	2	9	1
4	9	1	2	6	3	7	8	5
8	6	7	9	5	1	3	4	2
5	2	3	7	4	8	9	1	6
9	1	8	5	3	7	6	2	4
7	5	6	4	8	2	1	3	9
3	4	2	6	1	9	5	7	8

Killer Su Doku

32

5	7	6	8	1	3	2	9	4
9	1	4	7	2	6	8	3	5
2	3	8	5	4	9	7	1	6
8	5	1	2	3	7	4	6	9
7	4	3	6	9	5	1	2	8
6	9	2	4	8	1	3	5	7
3	6	5	1	7	4	9	8	2
1	8	7	9	6	2	5	4	3
4	2	9	3	5	8	6	7	1

33

2	9	6	4	8	7	3	5	1
8	4	3	1	6	5	2	7	9
7	5	1	9	3	2	6	8	4
3	6	4	5	1	8	9	2	7
5	2	7	3	9	4	8	1	6
1	8	9	7	2	6	5	4	3
6	7	2	8	4	9	1	3	5
4	1	8	6	5	3	7	9	2
9	3	5	2	7	1	4	6	8

34

9	7	2	5	4	3	8	1	6
6	3	1	7	8	9	5	2	4
5	4	8	2	1	6	3	9	7
2	8	7	1	3	4	6	5	9
3	1	5	6	9	2	4	7	8
4	9	6	8	7	5	2	3	1
1	2	4	9	5	8	7	6	3
7	6	3	4	2	1	9	8	5
8	5	9	3	6	7	1	4	2

35

6	8	2	9	5	7	1	3	4
4	9	5	3	1	8	2	7	6
7	1	3	4	2	6	5	8	9
2	4	1	5	7	9	3	6	8
9	6	8	1	3	2	4	5	7
5	3	7	8	6	4	9	2	1
1	2	9	7	8	3	6	4	5
3	7	4	6	9	5	8	1	2
8	5	6	2	4	1	7	9	3

Killer Su Doku

36

9	7	8	4	6	3	5	2	1
3	1	5	2	8	9	7	6	4
6	2	4	5	7	1	3	9	8
5	6	7	1	3	4	9	8	2
4	8	9	6	2	7	1	5	3
1	3	2	8	9	5	4	7	6
8	9	1	7	4	6	2	3	5
7	4	6	3	5	2	8	1	9
2	5	3	9	1	8	6	4	7

37

3	8	9	4	1	2	5	6	7
1	6	4	5	9	7	3	2	8
2	5	7	3	6	8	1	9	4
4	1	3	8	7	6	2	5	9
9	7	6	2	5	3	8	4	1
5	2	8	1	4	9	6	7	3
6	4	1	7	8	5	9	3	2
8	9	2	6	3	4	7	1	5
7	3	5	9	2	1	4	8	6

38

6	8	4	5	1	2	3	7	9
5	7	3	4	9	6	1	8	2
2	9	1	3	8	7	5	4	6
9	1	2	6	7	3	8	5	4
7	6	5	8	4	1	2	9	3
3	4	8	2	5	9	7	6	1
4	5	9	1	2	8	6	3	7
8	2	6	7	3	4	9	1	5
1	3	7	9	6	5	4	2	8

39

9	7	1	4	6	5	3	2	8
5	6	3	8	2	7	1	9	4
2	8	4	3	9	1	7	6	5
4	3	5	1	7	2	9	8	6
7	9	8	6	5	4	2	1	3
6	1	2	9	3	8	5	4	7
1	5	6	7	4	9	8	3	2
3	2	9	5	8	6	4	7	1
8	4	7	2	1	3	6	5	9

Killer Su Doku

40

5	1	9	2	8	7	6	4	3
7	4	3	1	5	6	2	9	8
8	6	2	9	3	4	1	7	5
6	2	5	7	9	8	4	3	1
9	7	8	4	1	3	5	2	6
1	3	4	6	2	5	7	8	9
2	5	6	8	4	9	3	1	7
3	8	1	5	7	2	9	6	4
4	9	7	3	6	1	8	5	2

41

4	9	3	7	8	6	2	1	5
7	5	1	9	4	2	3	8	6
8	2	6	5	3	1	4	9	7
5	6	4	2	7	9	8	3	1
3	8	9	4	1	5	7	6	2
1	7	2	8	6	3	5	4	9
9	4	5	6	2	8	1	7	3
6	3	7	1	5	4	9	2	8
2	1	8	3	9	7	6	5	4

42

2	6	3	5	4	7	8	9	1
4	8	5	2	1	9	6	7	3
1	7	9	3	6	8	2	5	4
7	3	2	1	9	5	4	8	6
9	1	8	4	2	6	5	3	7
5	4	6	8	7	3	1	2	9
3	2	4	9	8	1	7	6	5
6	5	1	7	3	2	9	4	8
8	9	7	6	5	4	3	1	2

43

9	5	7	6	3	8	4	2	1
3	8	6	4	1	2	5	7	9
4	1	2	9	5	7	6	8	3
5	4	8	7	6	1	3	9	2
2	3	9	5	8	4	1	6	7
7	6	1	3	2	9	8	4	5
8	7	4	1	9	5	2	3	6
1	9	3	2	4	6	7	5	8
6	2	5	8	7	3	9	1	4

Killer Su Doku

44

6	4	9	2	1	3	7	5	8
3	5	8	7	4	9	6	2	1
7	1	2	6	8	5	3	9	4
4	8	3	5	9	1	2	7	6
9	6	7	8	2	4	5	1	3
5	2	1	3	7	6	4	8	9
8	7	6	9	3	2	1	4	5
2	3	4	1	5	8	9	6	7
1	9	5	4	6	7	8	3	2

45

5	1	6	4	7	8	2	9	3
3	2	7	5	9	6	4	1	8
9	8	4	3	2	1	7	5	6
4	6	2	1	5	3	9	8	7
8	9	1	7	6	4	5	3	2
7	5	3	9	8	2	1	6	4
6	4	8	2	1	5	3	7	9
1	3	9	6	4	7	8	2	5
2	7	5	8	3	9	6	4	1

46

6	1	9	5	2	8	7	3	4
3	8	2	4	7	9	5	1	6
7	4	5	6	1	3	2	8	9
8	3	4	2	9	5	1	6	7
9	5	1	7	6	4	8	2	3
2	6	7	3	8	1	9	4	5
4	2	8	9	3	7	6	5	1
1	9	3	8	5	6	4	7	2
5	7	6	1	4	2	3	9	8

47

1	3	2	4	6	5	8	7	9
8	6	5	2	7	9	3	4	1
7	4	9	3	1	8	5	2	6
3	9	4	1	2	7	6	5	8
2	1	7	8	5	6	9	3	4
6	5	8	9	3	4	2	1	7
5	8	3	6	4	1	7	9	2
4	2	6	7	9	3	1	8	5
9	7	1	5	8	2	4	6	3

Killer Su Doku

Tricky

48

3	6	8	9	5	2	7	4	1
1	2	4	3	7	8	9	5	6
7	5	9	1	4	6	8	3	2
9	8	6	2	1	4	5	7	3
2	4	1	7	3	5	6	8	9
5	7	3	6	8	9	1	2	4
8	3	7	4	9	1	2	6	5
6	9	5	8	2	3	4	1	7
4	1	2	5	6	7	3	9	8

49

5	7	4	9	6	2	8	1	3
1	3	6	7	4	8	9	2	5
9	8	2	3	5	1	4	7	6
8	4	9	2	1	3	6	5	7
6	5	1	4	8	7	2	3	9
3	2	7	5	9	6	1	4	8
4	6	8	1	3	5	7	9	2
7	9	5	6	2	4	3	8	1
2	1	3	8	7	9	5	6	4

50

8	7	5	9	4	2	6	1	3
9	6	1	8	3	7	5	2	4
2	4	3	1	6	5	7	9	8
5	2	4	7	9	3	1	8	6
7	8	6	5	1	4	2	3	9
1	3	9	2	8	6	4	5	7
3	9	7	4	2	1	8	6	5
6	5	2	3	7	8	9	4	1
4	1	8	6	5	9	3	7	2

51

9	3	4	1	5	7	6	8	2
5	2	7	8	6	4	9	1	3
6	8	1	2	9	3	7	5	4
7	9	3	4	1	8	5	2	6
8	5	2	7	3	6	1	4	9
1	4	6	9	2	5	3	7	8
4	7	9	3	8	1	2	6	5
3	6	8	5	7	2	4	9	1
2	1	5	6	4	9	8	3	7

Killer Su Doku

52

6	7	1	8	4	5	2	3	9
2	3	8	1	7	9	6	5	4
5	4	9	3	6	2	1	8	7
8	2	5	7	9	4	3	1	6
7	9	3	6	5	1	4	2	8
1	6	4	2	3	8	7	9	5
3	8	7	9	2	6	5	4	1
4	1	2	5	8	7	9	6	3
9	5	6	4	1	3	8	7	2

53

9	2	1	3	8	5	4	7	6
8	3	6	7	4	2	9	1	5
7	5	4	9	1	6	3	2	8
3	1	8	2	6	9	7	5	4
2	6	7	1	5	4	8	9	3
5	4	9	8	7	3	1	6	2
1	7	3	5	2	8	6	4	9
6	9	2	4	3	7	5	8	1
4	8	5	6	9	1	2	3	7

54

1	8	3	2	9	7	4	5	6
5	2	9	6	4	8	7	1	3
7	6	4	1	5	3	9	2	8
2	9	5	8	3	6	1	4	7
6	7	8	5	1	4	2	3	9
4	3	1	7	2	9	6	8	5
8	5	2	9	6	1	3	7	4
9	4	7	3	8	2	5	6	1
3	1	6	4	7	5	8	9	2

55

6	3	2	8	5	9	7	1	4
7	4	1	6	3	2	8	5	9
9	8	5	7	4	1	6	3	2
5	2	6	9	8	4	3	7	1
8	7	9	2	1	3	4	6	5
3	1	4	5	6	7	2	9	8
4	6	8	3	9	5	1	2	7
2	5	3	1	7	8	9	4	6
1	9	7	4	2	6	5	8	3

56

6	2	5	8	4	7	9	3	1
4	3	1	6	5	9	8	7	2
9	7	8	3	2	1	5	4	6
2	1	4	7	8	6	3	5	9
3	5	7	1	9	4	2	6	8
8	6	9	2	3	5	7	1	4
1	4	3	9	7	8	6	2	5
7	9	6	5	1	2	4	8	3
5	8	2	4	6	3	1	9	7

57

8	9	1	7	4	2	5	3	6
6	7	2	8	5	3	4	9	1
3	5	4	1	9	6	8	7	2
7	4	5	2	3	1	6	8	9
2	8	9	5	6	4	7	1	3
1	3	6	9	8	7	2	5	4
5	6	8	3	2	9	1	4	7
4	1	3	6	7	8	9	2	5
9	2	7	4	1	5	3	6	8

58

22:5	9	14:3	8	1	2	7:4	24:6	7
6	13:1	7	5	7:4	21:9	3	2	8
2	15:4	14:8	18:6	3	7	5	1	11:9
13:4	3	6	7	5	16:1	24:8	9	2
9	8	8:1	2	6	3	7	12:5	5:4
10:7	2	5	4	23:9	8	15:6	3	1
3	27:7	6:2	1	10:8	6	9	4	22:5
8	5	13:9	3	2	12:4	1	7	6
1	6	4	23:9	7	5	2	8	3

59

19:6	1	7	18:5	9	4	35:8	3	2
22:8	5	17:2	1	7	3	4	9	6
3	4	28:9	6	6:2	14:8	5	1	7
7	8	5	20:9	4	3:2	1	18:6	3
21:9	6	3	8	1	15:7	2	5	4
4	2	4:1	3	8:5	6	27:9	7	22:8
24:2	24:9	8	7	3	5	6	4	1
5	7	16:4	2	6	1	3	22:8	9
1	3	6	21:4	8	9	7	2	5

Killer Su Doku

60

⁹8	1	¹¹6	5	¹⁷4	¹²9	¹²3	7	2
⁵2	²⁶9	5	6	7	3	²⁴4	1	8
3	4	¹⁰7	1	2	²⁴8	9	5	6
²⁵7	8	³2	⁴⁰3	5	1	6	²¹9	4
4	3	1	9	6	7	³⁵8	2	5
5	6	²⁸9	4	8	2	7	²¹3	1
²⁰1	2	8	7	9	6	5	4	¹⁰3
9	5	3	¹⁰8	⁸1	4	2	6	7
¹⁷6	7	4	2	3	5	1	¹⁷8	9

61

⁶3	1	2	¹⁶8	¹⁰4	¹¹6	5	³⁰7	9
³⁵5	9	¹⁰4	3	2	⁸7	1	8	6
7	8	6	5	1	¹⁴9	3	2	¹⁸4
6	²¹2	⁵1	4	3	¹⁵8	7	9	5
¹²8	7	¹⁴5	9	⁷6	1	¹⁶4	3	2
4	3	9	⁹2	7	²²5	8	6	1
³1	³³4	7	6	¹⁰8	2	9	⁶5	¹¹3
2	5	3	¹⁶7	9	¹⁰4	6	1	8
¹⁵9	6	8	¹¹1	5	3	2	¹¹4	7

62

2	6	7	1	9	8	5	4	3
1	3	8	4	7	5	6	9	2
4	5	9	6	2	3	1	8	7
8	1	2	3	4	6	9	7	5
7	4	3	2	5	9	8	6	1
5	9	6	8	1	7	2	3	4
3	7	5	9	8	2	4	1	6
6	8	1	5	3	4	7	2	9
9	2	4	7	6	1	3	5	8

63

1	7	4	6	8	9	2	3	5
8	2	5	4	3	7	1	6	9
9	6	3	5	1	2	4	8	7
6	4	2	7	9	1	3	5	8
7	1	8	3	6	5	9	4	2
5	3	9	2	4	8	6	7	1
2	8	6	9	7	3	5	1	4
3	9	7	1	5	4	8	2	6
4	5	1	8	2	6	7	9	3

Killer Su Doku

64

4	2	1	7	9	3	8	6	5
3	8	7	4	5	6	1	2	9
5	6	9	8	1	2	4	3	7
7	1	2	9	4	8	3	5	6
6	3	4	5	2	1	7	9	8
9	5	8	6	3	7	2	4	1
2	7	3	1	6	9	5	8	4
1	9	5	2	8	4	6	7	3
8	4	6	3	7	5	9	1	2

65

4	2	1	6	3	8	7	5	9
6	9	7	5	2	1	4	3	8
5	3	8	7	4	9	6	2	1
2	1	9	4	6	3	5	8	7
3	8	6	9	5	7	2	1	4
7	4	5	1	8	2	3	9	6
8	6	4	3	9	5	1	7	2
9	7	3	2	1	6	8	4	5
1	5	2	8	7	4	9	6	3

66

3	5	1	2	6	4	9	7	8
2	8	4	9	7	1	3	6	5
7	9	6	3	8	5	4	2	1
4	6	9	8	1	3	2	5	7
1	2	3	4	5	7	6	8	9
5	7	8	6	9	2	1	3	4
9	3	5	1	2	8	7	4	6
6	4	7	5	3	9	8	1	2
8	1	2	7	4	6	5	9	3

67

9	1	3	4	2	8	6	5	7
4	7	8	5	3	6	9	2	1
5	6	2	1	7	9	4	8	3
2	3	4	8	1	7	5	9	6
1	5	9	6	4	3	8	7	2
6	8	7	2	9	5	3	1	4
3	9	5	7	6	1	2	4	8
7	2	6	9	8	4	1	3	5
8	4	1	3	5	2	7	6	9

Killer Su Doku

68

2	6	1	5	8	9	7	4	3
9	8	3	7	6	4	1	2	5
5	7	4	3	1	2	8	9	6
4	9	2	8	3	5	6	7	1
7	1	8	2	4	6	3	5	9
6	3	5	9	7	1	2	8	4
1	2	7	4	9	3	5	6	8
3	5	9	6	2	8	4	1	7
8	4	6	1	5	7	9	3	2

69

3	5	9	8	1	2	4	7	6
1	2	6	4	7	9	8	5	3
7	8	4	3	5	6	2	1	9
5	4	1	2	9	3	6	8	7
8	9	7	6	4	1	5	3	2
6	3	2	5	8	7	9	4	1
9	1	5	7	6	4	3	2	8
4	7	3	9	2	8	1	6	5
2	6	8	1	3	5	7	9	4

70

2	⁴⁵9	4	6	⁴1	3	7	¹⁷8	⁴⁵5
¹²7	1	¹⁷6	2	5	8	3	9	4
5	8	3	¹³9	4	¹²7	⁸2	6	1
¹⁸4	6	8	¹⁶7	9	5	1	2	3
⁴⁵1	5	2	4	3	6	9	7	8
3	7	9	¹³8	³2	1	¹⁵4	5	6
9	³2	1	5	¹⁰6	4	¹⁶8	3	¹⁶7
6	⁷4	⁴⁵7	3	8	2	5	1	9
8	3	5	⁸1	7	9	6	4	2

71

¹⁶1	2	4	³⁵9	5	8	7	²²3	6
3	²⁹9	7	6	⁴1	¹³4	2	8	5
6	5	8	¹⁰2	3	7	⁷4	1	¹⁹9
¹⁶7	4	5	8	¹⁶6	¹⁰9	1	2	3
¹⁴8	¹⁵6	9	1	2	3	⁹5	4	7
2	⁶1	¹⁰3	7	4	¹¹5	²³9	6	8
4	3	2	⁹5	¹⁷9	6	²⁶8	7	¹⁹1
²⁹9	7	1	3	8	²⁰2	6	5	4
5	8	6	4	7	1	3	9	2

Killer Su Doku

72

7	8	1	5	3	4	6	2	9
4	2	9	6	8	1	3	5	7
6	5	3	9	2	7	8	1	4
2	7	5	8	4	3	9	6	1
1	9	4	2	7	6	5	8	3
8	3	6	1	5	9	7	4	2
9	4	8	7	6	2	1	3	5
3	6	7	4	1	5	2	9	8
5	1	2	3	9	8	4	7	6

73

5	8	9	2	6	3	1	7	4
1	4	6	9	8	7	5	3	2
2	7	3	5	1	4	6	8	9
7	3	4	8	2	6	9	1	5
8	9	2	3	5	1	4	6	7
6	1	5	7	4	9	8	2	3
4	2	8	1	3	5	7	9	6
3	5	7	6	9	8	2	4	1
9	6	1	4	7	2	3	5	8

74

26:8	5	7	6	18:2	28:4	9	1	3
10:3	1	10:2	8	7	9	6	5	12:4
7:4	6	26:9	14:5	11:3	1	2	24:8	7
2	8	4	9	29:6	3	5	7	1
1	14:7	5	2	4	8	10:3	9	16:6
20:9	3	30:6	1	5	13:7	4	2	8
5	4	8	7	9	6	1	12:3	2
6	26:9	1	12:3	8	9:2	7	4	5
7	2	3	4	1	28:5	8	6	9

75

19:3	7	14:1	44:6	8	4	7:5	2	13:9
16:2	9	8	7	3	5	17:1	6	4
6	14:4	5	12:1	9	2	7	3	20:8
8	1	9	3	2	10:6	4	5	7
18:7	5	6	8	4	19:9	6:3	1	2
15:4	2	8:3	5	1	7	24:9	8	10:6
9	23:6	2	42:4	5	3	8	7	1
6:5	8	7	9	6	1	2	18:4	3
1	3	4	2	7	8	6	9	5

Killer Su Doku

76

6	2	3	4	8	5	9	7	1
1	5	7	6	9	3	4	2	8
4	8	9	1	7	2	3	6	5
2	7	5	9	3	6	1	8	4
8	3	6	2	1	4	5	9	7
9	4	1	8	5	7	6	3	2
7	6	2	3	4	1	8	5	9
3	1	8	5	2	9	7	4	6
5	9	4	7	6	8	2	1	3

77

8	5	6	2	1	3	4	9	7
3	9	7	5	8	4	1	2	6
2	1	4	6	9	7	8	3	5
4	6	1	9	5	8	2	7	3
9	3	5	7	4	2	6	8	1
7	8	2	3	6	1	9	5	4
6	2	9	1	3	5	7	4	8
5	7	8	4	2	6	3	1	9
1	4	3	8	7	9	5	6	2

78

1	4	7	5	8	6	9	3	2
6	8	3	9	2	1	5	7	4
5	2	9	7	3	4	8	1	6
7	6	8	2	1	9	3	4	5
9	3	1	4	5	8	2	6	7
4	5	2	6	7	3	1	9	8
3	7	5	1	6	2	4	8	9
8	9	6	3	4	5	7	2	1
2	1	4	8	9	7	6	5	3

79

3	1	4	6	8	7	9	5	2
5	2	8	1	9	3	7	4	6
6	9	7	5	4	2	1	8	3
2	6	3	9	1	8	4	7	5
7	8	1	2	5	4	3	6	9
4	5	9	7	3	6	2	1	8
9	7	6	8	2	1	5	3	4
8	3	2	4	7	5	6	9	1
1	4	5	3	6	9	8	2	7

Killer Su Doku

80

4	1	8	9	3	2	7	5	6
6	9	2	5	8	7	4	3	1
3	5	7	4	1	6	8	2	9
7	8	4	6	2	9	5	1	3
5	3	6	7	4	1	9	8	2
9	2	1	8	5	3	6	7	4
8	6	3	2	7	4	1	9	5
1	7	9	3	6	5	2	4	8
2	4	5	1	9	8	3	6	7

81

3	9	8	7	5	1	6	2	4
4	1	7	6	9	2	8	3	5
5	6	2	3	8	4	7	1	9
9	7	1	4	3	6	5	8	2
2	3	5	8	1	7	9	4	6
8	4	6	9	2	5	1	7	3
6	8	4	5	7	3	2	9	1
7	2	3	1	6	9	4	5	8
1	5	9	2	4	8	3	6	7

82

6	3	1	8	5	2	9	7	4
2	9	5	7	3	4	1	8	6
4	8	7	1	6	9	5	3	2
3	5	6	4	8	7	2	9	1
1	2	8	5	9	6	7	4	3
7	4	9	2	1	3	6	5	8
5	1	3	6	7	8	4	2	9
9	6	2	3	4	5	8	1	7
8	7	4	9	2	1	3	6	5

83

8	1	3	5	9	6	7	4	2
6	5	7	2	4	3	9	8	1
2	9	4	7	1	8	3	5	6
7	6	8	1	3	9	4	2	5
5	4	2	6	8	7	1	3	9
1	3	9	4	5	2	8	6	7
9	7	5	8	2	4	6	1	3
3	8	1	9	6	5	2	7	4
4	2	6	3	7	1	5	9	8

Killer Su Doku

84

4	8	9	2	5	3	7	6	1
1	6	7	8	9	4	2	5	3
3	5	2	1	7	6	8	9	4
6	2	3	4	8	9	5	1	7
9	7	5	3	2	1	6	4	8
8	4	1	7	6	5	3	2	9
7	9	4	5	3	2	1	8	6
5	3	6	9	1	8	4	7	2
2	1	8	6	4	7	9	3	5

85

3	6	2	5	9	8	1	7	4
9	1	8	7	4	3	5	2	6
4	5	7	1	2	6	3	9	8
6	8	9	4	7	5	2	1	3
7	3	5	2	8	1	4	6	9
2	4	1	3	6	9	7	8	5
8	2	3	6	5	7	9	4	1
1	7	6	9	3	4	8	5	2
5	9	4	8	1	2	6	3	7

86

5	4	3	9	6	1	8	7	2
9	2	6	7	8	4	1	3	5
7	1	8	5	3	2	6	9	4
6	5	7	3	1	9	2	4	8
1	8	2	4	7	6	3	5	9
3	9	4	2	5	8	7	6	1
4	7	9	8	2	3	5	1	6
8	3	1	6	4	5	9	2	7
2	6	5	1	9	7	4	8	3

87

9	8	5	4	6	3	7	2	1
3	4	2	7	1	8	5	6	9
7	1	6	9	2	5	3	8	4
5	9	8	1	3	2	6	4	7
2	6	7	8	9	4	1	5	3
1	3	4	5	7	6	2	9	8
6	5	9	3	4	7	8	1	2
8	7	1	2	5	9	4	3	6
4	2	3	6	8	1	9	7	5

Killer Su Doku

88

3	5	1	4	7	8	2	6	9
6	2	4	3	1	9	5	8	7
7	9	8	6	5	2	3	4	1
8	6	7	5	3	4	1	9	2
1	3	2	9	8	6	7	5	4
9	4	5	1	2	7	6	3	8
4	1	3	2	9	5	8	7	6
2	7	6	8	4	3	9	1	5
5	8	9	7	6	1	4	2	3

89

6	8	9	7	1	2	3	5	4
2	5	7	4	3	8	6	9	1
4	3	1	6	5	9	7	8	2
5	2	4	3	9	6	8	1	7
1	6	8	2	7	4	9	3	5
7	9	3	1	8	5	2	4	6
9	7	2	5	4	3	1	6	8
3	4	6	8	2	1	5	7	9
8	1	5	9	6	7	4	2	3

Tough

90

28:1	7	6	3	18:8	9	2	8:4	5
5	19:8	9	10:2	4	6	22:7	1	3
4	2	8:3	7	1	22:5	6	9	14:8
2	9:3	4	1	2:7	8	9	20:5	6
22:6	1	5	20:9	3	2	8:4	8	7
7	9	20:8	6	5	15:4	1	3	32:2
9	12:4	7	5	16:6	3	8	14:2	1
16:3	6	2	14:8	9	1	5	7	4
8	5	1	4	2	7	3	6	9

91

5:4	1:2	3	1	5	24:6	7	9	6:8
1	23:6	21:7	9	19:8	4	5	2	3
8	9	5	9:3	7	8:2	6	1	4
44:2	4	8	6	6:1	5	41:3	7	9
9	5	8:1	7	2	7:3	4	8	6
7	3	6	12:8	4	17:9	1	5	2
21:5	7	6:4	2	19:6	8	24:9	10:3	1
3	23:1	2	4	9	7	8	6	12:5
6	8	9	5	10:3	1	2	4	7

Solutions

92

19,1	10,5	2	3	15,6	16,7	9	22,8	8,4
3	6	12,8	4	9	19,5	2	7	1
9	14,4	7	2	1	8	6	5	3
30,7	8	9,4	32,6	2	9	25,3	1	5
6	9	5	6,1	7	7,3	20,4	2	8
15,2	1	3	5	8	4	7	13,9	6
5	19,2	9	8	9,3	6	1	4	32,7
4	27,7	6	9	5	3,1	8	3	2
11,8	3	12,1	7	4	2	5	6	9

93

23,5	8	25,7	6	9	3	10,4	2	1
4	15,1	9	2	9,5	15,8	7	18,6	3
6	3	11,2	1	4	29,7	5	8	15,9
18,2	7	3	5	6,1	9	8	4	6
9	17,4	5	8	3	9,6	2	1	21,7
15,8	20,6	15,1	7	2	10,4	3	9	5
7	9	4	3	14,6	2	1	22,5	17,8
14,3	5	10,6	4	8	1	9	7	2
1	2	8	27,9	7	5	6	3	4

Killer Su Doku

94

30	8			30		11	34		
6	3	1	4	8	2	9	5	7
5	2	7	9	6	1	8	3	4
9	8	4	7	5	3	2	1	6
7	6	5	8	1	9	4	2	3
2	9	8	6	3	4	1	7	5
1	4	3	5	2	7	6	8	9
8	7	6	1	4	5	3	9	2
3	1	9	2	7	6	5	4	8
4	5	2	3	9	8	7	6	1

95

8	9	4	1	6	2	5	7	3
6	7	3	4	9	5	2	1	8
1	2	5	3	8	7	9	4	6
4	8	6	2	5	1	3	9	7
3	1	2	8	7	9	6	5	4
9	5	7	6	3	4	1	8	2
2	6	9	5	4	8	7	3	1
7	3	8	9	1	6	4	2	5
5	4	1	7	2	3	8	6	9

96

4	1	5	2	7	6	3	9	8
9	2	7	8	4	3	5	1	6
8	3	6	9	5	1	7	2	4
6	4	8	1	2	7	9	5	3
7	9	2	3	6	5	8	4	1
3	5	1	4	9	8	6	7	2
2	6	9	5	8	4	1	3	7
1	8	4	7	3	9	2	6	5
5	7	3	6	1	2	4	8	9

97

4	8	6	5	7	1	9	3	2
5	2	7	6	9	3	1	4	8
1	3	9	4	8	2	7	5	6
8	6	2	1	5	4	3	7	9
9	1	5	8	3	7	6	2	4
7	4	3	9	2	6	5	8	1
2	5	4	3	1	9	8	6	7
6	9	8	7	4	5	2	1	3
3	7	1	2	6	8	4	9	5

Killer Su Doku

98

8	9	5	4	2	7	6	1	3
4	1	2	6	3	9	8	5	7
6	3	7	1	8	5	2	4	9
1	7	8	5	6	3	9	2	4
5	2	3	9	7	4	1	8	6
9	6	4	8	1	2	7	3	5
3	5	1	2	9	6	4	7	8
2	4	6	7	5	8	3	9	1
7	8	9	3	4	1	5	6	2

99

8	7	9	5	2	3	1	4	6
5	1	4	7	9	6	2	3	8
6	2	3	1	4	8	9	5	7
9	4	2	6	8	5	7	1	3
1	8	5	3	7	4	6	2	9
3	6	7	2	1	9	4	8	5
4	5	1	9	3	7	8	6	2
2	9	6	8	5	1	3	7	4
7	3	8	4	6	2	5	9	1

100

9	8	2	4	1	6	3	7	5
6	5	1	2	3	7	4	8	9
4	3	7	9	8	5	1	2	6
5	2	8	1	7	9	6	3	4
1	9	3	8	6	4	7	5	2
7	6	4	3	5	2	8	9	1
8	1	9	5	4	3	2	6	7
3	7	5	6	2	1	9	4	8
2	4	6	7	9	8	5	1	3

101

7	4	3	6	1	2	5	9	8
2	5	9	7	4	8	3	1	6
1	6	8	5	9	3	4	2	7
5	3	7	8	6	1	2	4	9
9	8	1	2	3	4	6	7	5
4	2	6	9	5	7	8	3	1
3	9	4	1	8	6	7	5	2
6	1	2	3	7	5	9	8	4
8	7	5	4	2	9	1	6	3

102

3	4	1	8	7	9	6	5	2
5	6	7	4	1	2	8	9	3
8	9	2	5	6	3	1	7	4
7	2	6	9	5	1	3	4	8
1	5	3	6	8	4	7	2	9
4	8	9	2	3	7	5	1	6
6	1	4	7	2	8	9	3	5
9	3	5	1	4	6	2	8	7
2	7	8	3	9	5	4	6	1

103

4	6	9	8	7	3	5	2	1
1	7	8	5	9	2	6	4	3
3	5	2	6	1	4	9	8	7
8	4	1	9	3	6	7	5	2
6	9	7	1	2	5	8	3	4
2	3	5	7	4	8	1	6	9
5	1	4	3	8	7	2	9	6
7	2	6	4	5	9	3	1	8
9	8	3	2	6	1	4	7	5

104

6	8	9	3	7	2	4	1	5
4	1	2	5	8	9	7	6	3
5	3	7	4	6	1	8	9	2
1	2	6	9	5	7	3	4	8
9	5	3	8	2	4	6	7	1
8	7	4	1	3	6	5	2	9
3	6	1	2	4	8	9	5	7
2	4	5	7	9	3	1	8	6
7	9	8	6	1	5	2	3	4

105

3	4	7	8	9	6	2	1	5
8	5	1	4	3	2	9	7	6
6	2	9	7	5	1	3	4	8
5	3	4	1	2	9	6	8	7
1	8	2	6	7	4	5	3	9
7	9	6	5	8	3	4	2	1
2	6	3	9	1	8	7	5	4
9	7	8	2	4	5	1	6	3
4	1	5	3	6	7	8	9	2

Killer Su Doku

Deadly

106

5	9	3	7	6	8	4	2	1
8	6	1	9	2	4	3	5	7
4	7	2	5	3	1	6	9	8
1	4	9	6	7	2	8	3	5
6	3	8	4	9	5	7	1	2
7	2	5	1	8	3	9	4	6
2	8	7	3	1	9	5	6	4
9	5	6	2	4	7	1	8	3
3	1	4	8	5	6	2	7	9

107

7	6	4	1	2	9	5	8	3
8	2	1	5	3	4	6	7	9
5	3	9	6	7	8	1	2	4
1	7	5	3	4	6	2	9	8
4	9	2	8	5	1	3	6	7
6	8	3	7	9	2	4	1	5
9	4	8	2	1	3	7	5	6
3	1	7	9	6	5	8	4	2
2	5	6	4	8	7	9	3	1

108

6	7	1	9	4	5	3	2	8
3	4	2	6	1	8	5	7	9
8	9	5	2	3	7	4	1	6
2	3	8	7	5	1	9	6	4
4	6	9	3	8	2	7	5	1
1	5	7	4	6	9	8	3	2
9	1	3	5	2	4	6	8	7
7	2	6	8	9	3	1	4	5
5	8	4	1	7	6	2	9	3

109

1	9	3	8	5	4	2	6	7
2	4	5	9	7	6	8	3	1
8	6	7	2	3	1	9	5	4
3	1	9	5	4	8	6	7	2
7	5	8	3	6	2	1	4	9
4	2	6	7	1	9	5	8	3
6	3	4	1	2	5	7	9	8
9	7	1	6	8	3	4	2	5
5	8	2	4	9	7	3	1	6

110

¹⁵2	3	²¹9	7	²¹1	5	8	¹¹6	4
6	4	5	³⁴8	9	²⁰2	7	1	¹⁰3
¹⁵8	1	7	6	3	4	5	9	2
7	³⁰9	³⁹3	2	8	¹⁰1	6	¹⁷4	5
5	8	6	¹⁸9	4	3	1	2	7
¹⁴1	2	4	5	6	7	9	3	⁹8
9	¹²6	2	3	³⁵5	8	4	7	1
4	¹⁵7	²⁰8	1	2	9	¹¹3	²⁸5	6
3	5	1	4	7	6	2	8	9

THE 🛡 TIMES
Su Doku

The Times Su Doku **Book 1**
ISBN 0-00-720732-8

———————

The Times Su Doku **Book 2**
ISBN 0-00-721350-6

———————

The Times Su Doku **Book 3**
ISBN 0-00-721426-x

———————

The Times Su Doku **Book 4**
ISBN 0-00-722241-6

———————

The Times Junior Su Doku **Book 1**
ISBN 0-00-722093-6